D0230494

Confetti conflict

Carry Slee

Confetti conflict

Met tekeningen van Helen van Vliet

Prometheus Kinderboeken

Bekroond door de Nederlandse Kinderjury

Eerste druk 1993
Twaalfde druk 2003

ISBN 90 6494 039 8

© 1993 voor de tekst Carry Slee
© 2002 voor de illustraties Helen van Vliet
© 2003 voor deze uitgave Prometheus Kinderboeken, Amsterdam
Omslagtypografie Erwin van Wanrooy

www.prometheuskinderboeken.nl
www.carryslee.nl

Inhoud

Het plan 7

Krentje 12

Het telefoongesprek 16

Rob 21

De Watergeuzen 25

Het inschrijfformulier 31

Harde Henkie 36

Het atelier 40

De munten 45

Opa 51

Dracula 56

Loten 62

De uitnodiging 66

Ruzie 73

Wraak 79

Op weg 84

De test 89

Het gesprek 97

Het hoge woord 101

Over Carry Slee 105

Het plan

'Mark!' Marks vader schudt aan zijn arm. 'Mark, wakker worden. Het is zeven uur. Je wou toch nog leren?'
Mark doet slaperig één oog open. 'Zeven uur… dit is kindermishandeling,' kreunt hij. Hij wil zich weer omdraaien, maar zijn vader trekt het dekbed weg. 'Val nou niet weer in slaap, knul. Je hebt een proefwerk.'
Zodra Mark rechtop zit, denkt hij weer aan die griezelfilm van gisteravond. Zo'n knoert heeft hij in geen tijden gezien. Zou Joost hebben gekeken? Vast niet. Die film begon veel te laat. Hij had geluk dat zijn vader op stap was. Om één uur lag hij er pas in. Nog half in slaap gaat hij achter zijn bureau zitten en slaat gapend zijn boek open. Biologie, hoe verzinnen ze het? Hij kijkt naar zijn lekkere warme bed. Zal hij er nog even in kruipen? Wat kan hem een onvoldoende schelen. Stom gedoe. Moet-ie leren hoe een bloemblaadje in elkaar zit. Alsof dat hem een snars interesseert. Op het moment dat hij het boek wil dichtslaan, hoort hij zijn vader in de keuken rommelen. Er komt een heerlijke geur in zijn neus. Van gebakken eieren met spek. Wat is het toch een toffe peer. Nou kan hij toch moeilijk terug naar bed gaan.
'Kom op!' spreekt hij zichzelf streng toe. 'Een goed cijfer kan

geen kwaad.' Hij buigt zich over zijn boek heen en begint. Na een tijdje wordt er op de deur geklopt.

'Heeft de studiebol trek in een Engels ontbijt?'

'Hmmm...' In een ontbijtje van zijn vader altijd. Nergens smaakt een gebakken eitje met spek zo lekker. Marks moeder scheen helemaal een ontbijtexpert te zijn geweest. Maar dat herinnert Mark zich niet meer. Hij was pas twee toen ze stierf.

'Lekker hier,' zegt Mark als hij de kamer in komt en hij wrijft in zijn handen. Zijn vader heeft het houtkacheltje aangestoken. Nu voelt Mark pas hoe koud hij is geworden van het stilzitten.

'Moet ik je nog overhoren?'

'Hoeft niet,' antwoordt Mark met zijn mond vol. 'Ik ken het al. Alleen nog even een paar spiekbriefjes maken.'

'Dus je bent nog steeds expert?' vraagt zijn vader lachend.

Mark knikt. 'Mijn handeltje draait goed. Ik heb de prijs verhoogd. Tien eurocent per spiekbriefje. Vandaag moet ik er zes maken. Dan heb ik zestig eurocent verdiend. Niet gek toch?'

Marks vader ruimt hoofdschuddend de tafel af. 'Ik had nooit gedacht dat mijn zoon zo'n zakenmannetje was.'

Mark staat grinnikend op en verdwijnt zijn kamer in.

Als hij een uurtje later de kade af loopt, staat Jasmijn al op de brug. Hij zet zijn handen voor zijn mond. 'Jasmijn!' Als ze niet reageert, probeert hij hun fluitje. Nou zeg, die maft zeker nog! Ze kijkt niet op of om. Ze staart over de leuning het water in. Mark holt naar haar toe.

'Gehoorapparaatje vergeten?' brult hij in haar oor. Maar dan ziet hij dat ze heeft gehuild.

'Wat is er?' Hij legt bezorgd een hand op haar schouder. 'Die rotkerel!' Opnieuw springen er tranen in Jasmijns ogen. 'Mijn vader wil niet dat ik naar Dalenberg ga.'

'Waarom niet?' vraagt Mark. 'Heb je zaterdag soms voor niks die gouden medaille gewonnen?'

'Omdat hij gek is.' Jasmijn geeft een trap tegen de brug. 'Meneer wil niet dat ik in turnen doorga. Is zeker te min. Ik moet het maar als hobby houden. Hij wil per se dat ik na de middelbare school ga studeren. Net als mijn zus.'

'Nou zeg!' Mark tikt verontwaardigd tegen zijn voorhoofd. Studeren, hoe haalt die man het in zijn bolle kop? Alsof Jasmijn zo'n studiebol is. Ze heeft niet eens het geduld om haar huiswerk te maken. Mark weet niet zo goed wat hij moet zeggen. Hij plukt aan zijn jas. 'Dat... dat is dan goed waardeloos.' Jasmijn knikt. 'Maar ik ga toch!' schiet ze fel uit. 'Het kan me niks schelen. Als ik niet mag, loop ik gewoon weg. Eigen schuld. Komt er lekker helemaal niks van mij terecht. Misschien ga ik wel pikken. Kan hij me opzoeken in de gevangenis.'

Mark zucht. Echt weer iets voor Jasmijn om dat te bedenken. 'En je moeder?' probeert hij rustig.

'Hou daar helemaal over op! Eerst was ze enthousiast. Maar toen ze hoorde dat mijn vader het niet wou, vond ze het ineens ook niks.'

'En Appie dan?' vraagt Mark. 'Die traint je toch? Kan die je vader niet overhalen?'

'Had je gedacht. Mijn vader heeft Appie al gebeld. Leuk, hè? Ik was woest. De hele avond ben ik niet naar beneden gekomen. En ik ga ook niet naar school.' Jasmijn doet haar rugtas af en wil hem het water in trappen.

'Niet doen!' Mark kan hem nog net grijpen. 'Wacht nou even.

We verzinnen er wel iets op. Natuurlijk moet jij naar Dalenberg.'

'Hoe kan dat nou? Ik moet toch een test doen? Ik krijg niet eens een inschrijfformulier, nu mijn vader Appie heeft ingelicht.'

Mark denkt na. Hij moet iets verzinnen. Hij kent Jasmijn. Die woeste kever is in staat om inderdaad weg te lopen. 'Kunnen we... kunnen we niet zelf zo'n formulier ophalen?'

'Lukt nooit,' zucht Jasmijn. 'Dat moeten je ouders doen.'

'En als ik die school nou eens opbel?' stelt Mark voor. 'Ik zeg gewoon dat ik je vader ben. "U spreekt met meneer De Wit,"' zegt hij met een verdraaide stem. '"Ik zou graag een inschrijfformulier voor mijn dochter Jasmijn ontvangen."'

Jasmijn schiet in de lach. 'Waar moeten ze het dan naartoe sturen? Als mijn vader het vindt, spat hij uit elkaar. En ik kan het ook niet onderscheppen, want de post komt 's morgens als ik op school zit.'

'We geven gewoon mijn adres op,' zegt Mark doodleuk.

'En jouw vader dan?' vraagt Jasmijn.

'Mijn vader zal zich er heus niet mee bemoeien. Dat weet ik zeker. Trouwens, ik haal meestal de brievenbus leeg. Daar denkt hij niet eens aan.'

Jasmijns ogen beginnen te glimmen. 'Wat een goed idee! Als ik eerst die test maar heb gehaald. Dan kan ik altijd nog proberen mijn vader over te halen.'

Dat vindt Mark ook. Hij is allang blij dat Jasmijn weer vrolijk is.

Terwijl Jasmijn haar rugtas omdoet, prikt ze met haar vinger in Marks buik. 'Wat ben jij toch een poepie!'

'Een poepie?' snuift Mark. 'Ik ben je vader, hoor. Een beetje beleefd, kind.' Hij trekt Jasmijn lachend mee. 'Hollen! Anders zijn we nog te laat voor het proefwerk. Krijgt Kareltje weer een stuip.'

Krentje

Als Mark en Jasmijn bij school aankomen, staan hun klasgenoten hen al op te wachten bij het hek.
'Waar bleef je nou met die spiekbriefjes, man? Het is bijna tijd. We waren al bang dat je ziek was…'
Mark duikt in zijn tas. Hij haalt er een envelop met zes piepkleine papiertjes uit. Hij wijst op het plakband dat aan de onderkant zit. 'Tegen de rand van je tafel plakken,' instrueert hij.
'Vakwerk!' prijst Daan. Hij laat het geld in Marks hand glijden.
'Wat kan die gast pietepeuterig schrijven,' lacht Stef. 'Moet je zien, het halve biologieboek op één zo'n klein briefje.'
'Nou, jongens, weer een weekloon verdiend.' Mark wil het geld opbergen maar opeens ontdekt hij dat er een vijf eurocent muntje tussen zit. 'Hallo hallo, iemand heeft zich vergist.' Hij houdt het tussen zijn vingers.
'Is niet van mij, hoor…' Verontwaardigd beginnen ze door elkaar te praten.
'Ik weet zeker dat ik tien eurocent heb gegeven.'
'Ik ook.'
'Ik ook.'
Johan is de enige die niet reageert. Hij gaat gauw bij het fiet-

senrek staan, met zijn rug naar hen toe.

'Hé, Johan, is dit muntje soms van jou?' Mark loopt naar hem toe.

Johan krijgt een rood hoofd. 'Ik, eh... het kost toch vijf eurocent?' schuttert hij.

'Krentje weer!' barsten de anderen los. 'Het valt altijd te proberen, hè?'

'Sorry, volgende keer beter.' Johan wil weglopen, maar Mark pakt hem vast.

'Dat gaat niet door, makker. Voor dat geld doe ik het niet.'

'Ik heb niet meer bij me,' probeert Johan.

Maar daar trapt Mark niet in. 'Geef dan maar terug, dat spiekbriefje.'

'Zo meteen, ik moet even naar de wc.' Johan glipt de school in.

'Geloof jij het?' Telma kijkt Mark aan. 'Die zit het gauw op de plee over te schrijven, wedden?'

'Hij doet maar,' grinnikt Mark. 'Dat wordt toch niks.' En ze gaan de school in.

In de gang duwt Johan het spiekbriefje in Marks handen. 'Je moest het toch terug?'

'Merci, monsieur!' Mark wil doorlopen, maar Johan trekt aan zijn mouw. Hij houdt zijn hand op. 'Geef op?'

Mark trekt zijn wenkbrauwen op. 'Wat?'

'Mijn vijf eurocent.'

'Zijn vijf eurocent!' Joost schiet in de lach. 'Jongens, horen jullie dat? Krentje moet zijn centen terug.'

'Twee eurocent kun je krijgen,' pest Mark. 'Je moet voor de inkt en het papier betalen. Zaken zijn zaken. Ik heb kosten gemaakt.'

Hij zoekt in zijn zakken. Jammer genoeg heeft hij geen twee eurocenten bij zich. 'Je hebt geluk, Dagobert.' Mark legt vijf eurocent op Johans hoofd. Voordat iemand het kan afpakken, zit het al in Johans zak.

'Ik zou het maar op mijn spaarbankboekje zetten,' waarschuwt Stef. 'Straks verlies je het nog.'

'Barst.' Johan loopt de klas in.

'Zijn er nog vragen voor we beginnen?' informeert meester Karel als iedereen binnen is. Hij heeft de proefwerkblaadjes al in zijn hand.

Joost steekt zijn vinger op. 'Mag het raam dicht, meester?'

'Ik zie niet in waarom,' antwoordt Karel. 'Lekker fris met het raam open.'

'Het is veel te riskant, meester,' houdt Joost vol.

'Riskant?' Meester Karel kijkt hem verbaasd aan.

'Zo meteen worden we overvallen,' legt Joost uit. 'Krentje heeft vijf eurocent in zijn zak.'

Iedereen schiet in de lach.

'Kunnen we nu beginnen?' vraagt Karel als het weer stil is. Terwijl hij met zijn rug naar de klas de vragen op het bord schrijft, worden de diverse spiekbriefjes onder de tafels geplakt. Alleen Johan kan zijn briefje niet vastplakken, want daar zit geen plakband aan. Eerst stopt hij het in zijn etui, maar dan besluit hij het toch maar op zijn schoot te leggen.

Mark leest de vragen vlug over. Hij steekt zijn duim naar de anderen op. Bijna alle antwoorden zijn op het spiekbriefje te vinden. Iedereen begint druk te schrijven.

Halverwege het proefwerk staat meester Karel op. Hij loopt tussen de rijen door. Hier en daar schuiven leerlingen dichter tegen hun tafel aan om hun spiekbriefje te bedekken. Het is

14

een perfecte uitvinding. De meester heeft niks in de gaten, tot hij de laatste rij in slaat. Als Johan dichter naar zijn tafel schuift, valt zijn spiekbriefje op de grond.

Meester Karel blijft naast Johans tafel staan. 'Mag ik zien wat dat is?' Hij wijst op het briefje.

Met een rood hoofd pakt Johan het papiertje op.

'Aha, een spiekbriefje!' Karel verfrommelt het. 'Lever je werk maar in, jongen. Je hebt een één.'

'Dat is ook niet veel,' hoont Telma.

Joost steekt zijn duim naar Johan omhoog. 'Niet veel, Krentje, maar wel gratis.'

Het telefoongesprek

Met een hoffelijk gebaar houdt Mark de deur van de boot voor Jasmijn open. 'Treed binnen, hoogheid. Als u vast in de kamer wilt plaatsnemen, pak ik wat te drinken.'
'Dank u!' Met een hooghartig knikje schrijdt Jasmijn de kamer in.
Mark duikt de keuken in. Even later zet hij twee glazen cola op tafel. 'Als jij nou even het nummer van Dalenberg bij 0900-8008 opvraagt, maak ik even wat te bikken. Ik barst van de honger. Daar ligt pen en papier.' Hij wijst op een laatje onder de telefoon.
'Ik heb het!'
Met het telefoonnummer in haar hand stormt Jasmijn de keuken in. 'Wat is dat voor lekkers?' Ze steekt haar hand uit naar een plankje met stukjes kaas.
'Afblijven!' Mark smeert expres een lik mosterd op haar vinger. 'Eerst ga ik opbellen.' Hij loopt met het plankje de kamer in. 'Geef het nummer maar.'
'Wacht nou even.' Jasmijn houdt haar hand op de telefoon. 'Je moet eerst precies weten wat je gaat zeggen.'
'Dacht je dat ik gek was?' Mark duwt haar opzij en neemt de hoorn van de haak.

'Niet doen!' gilt Jasmijn. 'Ik wil dat we eerst oefenen. Ik ben de directeur van die school en jij belt, goed?'

Je ziet aan Mark dat hij het grote onzin vindt. Maar hij geeft Jasmijn haar zin en doet of hij het nummer draait.

'Tringggggggg…'

'Met sportinternaat Dalenberg,' zegt Jasmijn.

'Goedemiddag,' begint Mark met een overdreven plechtige stem. 'U spreekt met…'

'Pffff…' Jasmijn schiet in de lach. 'Die stem… Je lijkt Sinterklaas wel…'

'Nog een keer,' stelt Mark voor als Jasmijn is uitgelachen.

'U spreekt met sportinternaat Dalenberg,' herhaalt Jasmijn nog nagrinnikend.

'Goedemiddag, u spreekt met Sinterklaas. Mijn dochter Jasmijn…'

'Hou op…! Hahaha, wat een gek ben jij…' hikt Jasmijn. Maar dan wordt ze opeens zenuwachtig. 'Nu even serieus, goed? Anders mislukt ons hele plan.'

'Natuurlijk mislukt het niet,' beweert Mark. 'Ik weet echt wel wat ik moet zeggen. Als jij de kamer maar uit gaat. Echt hoor, als ik die kop van jou zie, schiet ik in de lach.'

'Goed dan, ik ga al.' Jasmijn gaat in de stuurhut staan. De kamerdeur zet ze op een kier. Maar Mark heeft haar door.

'Ook niet achter de deur luisteren.' Hij duwt haar het roefje in. 'Je moet helemaal weg. Ga maar naar de keuken. Daar staat nog een heerlijk afwasje. Hoef je je niet te vervelen.'

'Ja, mocht je willen.' Jasmijn steekt haar tong uit en trekt de deur dicht.

Mark gaat naast de telefoon zitten. Hij houdt de hoorn in zijn hand. Wat zou meneer De Wit nou precies zeggen? Een paar minuten leeft hij zich in zijn vaderrol in. Dan draait hij het nummer. Hij voelt zijn hart kloppen.

'Met sportinternaat Dalenberg,' klinkt het aan de andere kant van de lijn.

Mark schraapt zijn keel. 'Goedemiddag, u spreekt met De Wit. Op aanraden van de heer Rood, de trainer van mijn dochter, wil ik haar voor uw opleiding opgeven.'

'Een ogenblikje meneer,' zegt de stem. 'U spreekt met de conciërge. Ik verbind u door met de administratie.'

Mark zucht. Het eerste gedeelte zit erop. Hij voelt het zweet over zijn rug lopen. Als het nu maar lukt! Veel tijd om zich zorgen te maken heeft hij niet.

'Met de administratie, met Joke. U wilde een inschrijfformulier, begreep ik?'

'Graag,' antwoordt Mark beleefd. 'Mijn dochter wil meedoen aan de toelatingstest. Ik ben nog niet te laat, hoop ik?'

'Nee, hoor, meneer De...'

'De Wit,' helpt Mark haar.

'De sluitingsdatum is over twee weken. Hoe is de naam van uw dochter?'

'Jasmijn.'

'En wanneer is ze geboren?'

Help! Mark schrikt. De vlammen slaan hem uit. Wanneer is Jasmijn jarig? Hij weet het niet meer. 'Neemt u mij niet kwalijk, ik kan er zo gauw niet opkomen,' redt hij zich eruit. 'Ze is er één van de dertien moet u weten.'

Achter de deur hoort hij Jasmijn proesten.

'Nou, dan komt het wel een andere keer. Ik zal u het formulier toesturen. Mag ik uw adres?'

Mark geeft het adres van de boot op.

18

'Prima,' zegt de vrouw. 'Ik doe het vandaag nog op de bus. Als het goed is, hebt u het morgen.'

'Dank u vriendelijk,' zegt Mark.

'Dag meneer De Wit.' En dan wordt er opgehangen.

De kamerdeur vliegt open. 'Gelukt!' juicht Jasmijn. 'Wat een mafkees ben jij dat ik twaalf broertjes en zusjes heb…' Ze neemt stikkend van de lach een slok van haar cola. 'Proost.'

'Als het goed is, hebben we het formulier morgen binnen,' vertelt Mark.

'Gaaf!' Maar dan krijgt ze rimpels in haar voorhoofd. 'Als het maar aankomt. Er staat toch De Wit op de envelop? De post weet toch dat hier geen De Wit woont?'

Mark slikt een blokje kaas door. 'Een kwestie van één kleine notitie voor de post achterlaten. Ik plak wel een briefje op de deur. Post voor De Wit graag in deze bus.'

Nu is Jasmijn tevreden. 'Jij hebt toch ook overal oplossingen voor, hè? Je moet uitvinder worden.'

'Of crimineel,' plaagt Mark. 'O, neem me niet kwalijk. Ik was even vergeten dat jij dat al wou.' En voordat Jasmijn kan opvliegen, duwt hij een stukje kaas in haar mond.

Rob

'Hé, je bent er al!' Mark kijkt verbaasd naar zijn vader die achter het fornuis staat. 'En ik moest koken, omdat jij het zo druk had!'

Vader haalt het vlees uit de koelkast. 'Met mij sta je altijd voor verrassingen. Ik had mijn dag niet. Niks lukte.'

'Te laat naar bed gegaan misschien?' plaagt Mark. Hij hoorde zijn vader heus wel thuiskomen vannacht. Het was al drie uur geweest.

Vader bloost. Hij legt een rollade in de pan en giet er een flinke scheut wijn over.

'Zo, haute cuisine hier,' zegt Mark.

'We, eh… we krijgen een gast vanavond.'

Zie je, dus toch, denkt Mark. Pa is verliefd. 'Ken ik haar?'

Vader prikt met een vleesvork in het vlees. 'Het is geen zij, het is een hij.'

'O.' Marks belangstelling verdwijnt op slag. Hij dacht dat de nieuwe vlam van zijn vader kwam eten. Maar die houdt hij zeker nog een poosje achter. De goochemerd!

'Eten we, vroeg? Of kan ik mijn supersaaie geschiedenis-proefwerk nog leren.'

'Ik weet het niet precies,' antwoordt zijn vader. 'In elk geval niet zo heel vroeg. Rob is er nog niet eens. En dan drinken we nog een glaasje voor het eten.'

'Ik hoor het al.' Mark graait een hand pinda's uit de trommel en vlucht zijn kamer in.

Hij slaat zuchtend zijn geschiedenisboek open. Hoe hij ook zijn best doet, hij kan zijn gedachten er niet bij houden. De hele tijd moet hij aan Jasmijn denken. Wat zal hij haar missen als ze naar Dalenberg gaat. Zou ze hem nog wel willen zien? Er zitten vast allemaal kanjers op. Van die sportfiguren die later beroemde turners worden. Wat moet ze dan nog met hem…?

'Mark, eten!'

Nog half in gedachten slentert Mark de kamer in. Op de bank zit een man met zwart krullend haar.

'Dit is nou Mark,' stelt zijn vader hem voor. 'Mark, dit is Rob.'

Mark geeft Rob een hand.

'Mag ik jullie beiden aan tafel noden?' Marks vader maakt een plechtig gebaar.

22

Nou nou, hij heeft er wel werk van gemaakt. Hoe komt hij eigenlijk aan dat chique tafelkleed? Dat kent Mark helemaal niet.

'Het ziet er verrukkelijk uit, Ger,' prijst Rob.
'Dank je.' Vader schenkt wijn in. Mark ziet dat hij het gezellig vindt dat Rob er is.
Rob heft zijn glas. 'Op je expositie.'
'Ben je ook kunstenaar?' vraagt Mark.
Rob zet zijn glas neer. 'Inderdaad.'
'Schilder je?'
Rob schudt zijn hoofd. 'Ik beoefen een ander soort kunst. De kunst om niet dagelijks door mijn lieve leerlingen achter het bord te worden geplakt.'
Mark fronst zijn wenkbrauwen.
'Ik ben namelijk leraar,' verklaart Rob.
Hoe die dat zegt! Dat gezicht. Mark schiet in de lach. Je zult zo'n gek voor de klas hebben.
'Rob geeft geschiedenis op de scholengemeenschap,' verduidelijkt zijn vader.
'Geschiedenis…?' Mark trekt een vies gezicht.
'Dat is niet bepaald Marks lievelingsvak,' legt vader uit. 'Hij had een vier op zijn rapport.'
'Een vier…?' Rob rolt bijna van zijn stoel.
'Dat komt doordat meester Karel het zo saai vertelt. Morgen heb ik weer zo'n ellendig proefwerk,' kreunt Mark.
'Jongen, na het eten zullen wij dat samen eens doornemen. Zul jij zien hoe je geniet. Je raakt eraan verslaafd. Je…'
'Ja, dat zal wel,' lacht Mark.
Zodra ze klaar zijn met eten, haalt Mark zijn geschiedenis-

boek. 'Kijk, dit moeten we leren.'

'O, verrukkelijk. De Watergeuzen!' En Rob begint onmiddellijk met veel gebaren te vertellen.

'Rob, wou je nog koffie?' vraagt Marks vader. Maar Mark en Rob reageren niet. Die zitten midden in Den Briel.

De Watergeuzen

'Hoe vond je Rob?' vraagt Marks vader 's morgens aan het ontbijt.

'Maf type,' gniffelt Mark. Hij strooit lekker veel hagelslag over zijn boterham. Dat mag als je zo'n rotproefwerk hebt.

Zijn vader neemt een slok van zijn thee. 'Ik mag hem heel graag.'

'Snap ik,' zegt Mark. 'Je lacht je toch gek met zo een? Wat kan die goed vertellen. Ik ben benieuwd wat de meester voor vragen stelt. Rob heeft er een heleboel omheen verteld. Dat ga ik allemaal opschrijven. Kun je lachen. Kareltje valt flauw als hij het leest.' Mark snijdt zijn brood door. 'Niet gek, zo'n bijlesleraar. Als ik weer proefwerk heb, geef ik wel een seintje. Mag je die knakker weer uitnodigen.'

Vader schuift zijn kopje over het tafelkleed. 'Je, eh... je zult hem wel vaker zien.'

'Gezellig toch?' Mark wil een stukje brood in zijn mond steken, maar dan begint zijn vader weer.

'Ik, eh... ik ben blij dat jij hem ook aardig vindt.'

Nou zeg, wat een gezeur over die man. Mark kijkt naar zijn vader en dan ziet hij dat die een kleur heeft.

Opeens krijgt Mark een onbestemd gevoel in zijn buik. Hij

weet niet wat het is. Het liefst zou hij van tafel weglopen...

Vader roert in zijn kopje. 'Ik heb een heel speciaal gevoel voor Rob,' zegt hij dan.

Mark pakt het doosje hagelslag en begint geïnteresseerd te lezen wat erop staat. 'Weet je wat je kunt winnen als je een goeie slagzin voor Spikkels bedenkt?'

'Nou?'

'Een discman,' leest Mark voor.

'Je hebt toch al een discman?'

'Nou en. Ik zeg toch niet dat ik meedoe?'

Zijn vader haalt zijn schouders op en staat van tafel op.

'Wil jij afruimen? Ik ga vroeg naar mijn atelier als je het niet erg vindt. Die expositie komt gevaarlijk dichtbij.'

Mark vindt het prima. Het komt hem eigenlijk heel goed uit dat zijn vader eerder weg moet. Kan hij mooi het briefje voor de post ophangen.

'Tot vanavond.' Mark hoort de deur dichtslaan. Hij ruimt haastig de tafel af. Daarna vist hij een vel papier uit de kast. POST VOOR DE WIT OOK IN DEZE BUS schrijft hij er met koeienletters op. Als de postbode dat niet ziet...

Hij plakt het papier op de deur en vertrekt. Hij staat nog maar net met zijn fiets op de loopplank, of Jasmijn komt eraan.

'Heb je nog aan het briefje gedacht?'

'Kijk eens!' Mark wijst trots naar de deur.

'Hartstikke goed,' zegt Jasmijn gapend. 'Wat een pokkenproefwerk, hè? Ik ben om zeven uur opgestaan om te leren. Maar ik haal nog alles door elkaar.'

'Ik had geluk,' vertelt Mark. 'Er kwam gisteravond iemand bij ons eten, een geschiedenisfreak. Die heeft me geholpen. Ik weet nu zelfs nog meer van de Watergeuzen dan Kareltje.'

26

'Een nieuwe vlam van je pa?'

'Hoezo?' reageert Mark geïrriteerd.

'Kon toch? Die vorige was toch ook een schoolfrik?'

'Het was nog geeneens een vrouw,' valt Mark fel uit.

'Rustig maar, hoor,' sust Jasmijn.

'Sorry.' Mark snapt zelf ook niet waarom hij opeens zo kribbig is.

'Hebben jullie het gehoord van Stef?' Joost crosst de stoep op. Vlak voor hun voeten staat hij stil.

'Wat dan?' vraagt Mark.

'Hij ligt in het ziekenhuis. Vannacht is hij geopereerd aan zijn blindedarm. Mijn moeder had toevallig dienst.'

'Jeetje, wat rot voor hem. Hoe lang moet hij daar blijven?' vraagt Jasmijn.

'Een dikke week,' zegt Joost. 'Daan en ik gaan vanmiddag naar hem toe.'

'Tof,' vindt Mark. Hij zou graag mee willen, maar hoe moet het dan met het inschrijfformulier?

'We moeten iets leuks voor hem kopen van de klas,' stelt Jasmijn voor. Ze doet haar portemonnee open en haalt er dertig eurocent uit. Mark geeft vijftig eurocent. Aan alle klasgenoten die ze onderweg tegenkomen, vertellen ze dat Stef in het ziekenhuis ligt. Iedereen geeft iets.

'We kopen een boek,' bedenkt Telma. 'Heeft hij tenminste wat te doen.'

Op het schoolplein telt Joost het geld. 'Zes euro. Een boek kost minstens zeven euro vijftig.'

'Nog niet iedereen heeft iets gegeven,' zegt Mark. 'En de meester zal er ook wel wat bij leggen.'

Joost tuurt over het schoolplein. Wie van de klas heeft hij nog niet gehad? Bij de fietsenstalling ziet hij Johan staan.

'Hé, Johan, heb jij al wat gegeven voor Stef?'

'Waarvoor?' vraagt Johan.

'Stef ligt in het ziekenhuis. Hij is geopereerd aan zijn blindedarm.'

'Sorry, ik heb niks bij me.' Johan probeert eronderuit te komen.

'En dit dan?' Telma rukt een portemonnee uit zijn achterzak.

'Geef hier!' Johan grist hem uit haar handen. 'Ik wist niet eens dat-ie in mijn zak zat.'

'Ja ja, dat kennen we,' snuift Mark.

Met een kop als vuur ritst Johan zijn portemonnee open.

Mark kijkt stiekem over zijn schouder mee. Hij telt drie euro's en een paar vijf eurocenten.

'Zo, jij bent rijker dan ik,' zegt hij.

Johan draait zich om. Hij haalt twee vijf eurocenten uit zijn portemonnee. 'Alsjeblieft.'

'Kan het eraf, Krentje!' valt Joost boos uit. 'Is dat alles wat jij overhebt voor een zieke klasgenoot?'

'Moet ik toch weten?' Johan loopt gauw weg.

'Wat een vrek!' Telma stampvoet haast van woede. 'Dat kan ik niet uitstaan. Twee lullige vijf eurocenten. Terwijl hij barst van het geld. Gijs gaf nog meer en die krijgt zowat geen zakgeld.'

'Wat heb jij?' roept Mark op dat moment. 'Ongeluk gehad?'

De hele groep draait zich om naar het hek.

Tim komt het schoolplein op fietsen. Hij heeft een blauw oog.

'Ik stootte gisteravond per ongeluk de fiets van Harde Henkie om,' zegt Tim.

'En dan slaat-ie je meteen een blauw oog? Dat je dat pikt!' roept Paul.

'Hij wel!' vallen de anderen Tim bij. 'Dan ken jij Harde Henkie zeker nog niet? Je hoeft maar íets tegen hem te beginnen of je krijgt die hele club op je dak.'

De bel maakt een eind aan de discussie. En nog geen tien minuten later zit de hele klas van meester Karel gebogen over hun geschiedenisproefwerk. Jasmijn steekt haar vinger op.

'Vraag één komt helemaal niet in ons boek voor, meester.'

'Nee, en drie en vijf ook niet,' roepen de anderen.

'Het is niet de bedoeling dat jullie klakkeloos uit je hoofd leren wat er in het boek staat. Je moet ook onthouden wat ik tijdens de les vertel.'

Er barst een verontwaardigd gemompel los. Mark is de enige die doorgaat met pennen. Na een tijdje zwaait hij met zijn vinger door de lucht. 'Er gaat nu niemand naar het toilet, Mark,' wuift meester Karel zijn vinger weg.

'Ik wil nog een blaadje, meester.'

Meester Karel legt verwonderd een tweede blaadje op Marks tafel. Opnieuw schrijft Mark het vol. Terwijl de anderen nog druk aan het werk zijn, legt hij zijn pen neer.

'Je wilt toch niet beweren dat je nu al klaar bent?' vraagt Karel. Hij loopt wantrouwig naar Marks tafel, pakt het proefwerk en begint te lezen. Zijn gezicht is een en al verbazing.

'Je hebt het goed geleerd, Mark. Erg goed, mag ik wel zeggen. Hoe kom je aan die informatie?'

'Kwestie van opletten in de les, meester,' antwoordt Mark laconiek. Hij geeft Jasmijn een kneep onder de tafel.

Het inschrijfformulier

'Hè hè,' zucht Mark. 'Nou alleen nog je vaders handtekening.'
Zorgvuldig draait hij het inschrijfformulier voor het sportinternaat uit de schrijfmachine.
Jasmijn leest het enthousiast door. 'Goed idee van jou om de
antwoorden te typen. Zo merken ze niks.'
'Als je vaders handtekening tenminste ook een beetje geloof-
waardig uitvalt,' zegt Mark. 'Weet je ongeveer hoe die eruit-
ziet?'
'Ik heb iets meegepikt.' Jasmijn vist een bankpas uit haar zak.
'Kijk, hier staat-ie.'
'Wat een ingewikkeld kreng.' Mark scheurt een blaadje uit
zijn schrift en probeert de handtekening na te bootsen. Maar
het resultaat lijkt nergens naar.
'Geef mij eens!' Heel langzaam glijdt Jasmijns vulpen over
het papier. 'Nou?'
'Perfecte vervalsing!' grijnst Mark. 'Zie je wel. Jij moet helemaal niet naar Dalenberg. Je moet oplichtster worden.'
'Wie wordt hier oplichtster?' Marks vader steekt lachend zijn
hoofd om de deur.
Jasmijn frommelt vliegensvlug het formulier achter de
schrijfmachine.

'Jij,' zegt Mark. 'Je hebt er alles voor mee. Je bent net een insluiper. Ik schrik me rot, man. Zoals je mijn kamer binnen komt!'

'Ik ook,' zegt Jasmijn met een hoogrode kleur.

'Dat is jullie kwade geweten,' zegt Marks vader plagend. Hij legt zijn hand op Jasmijns schouder. 'Wanneer zijn de kampioenschappen?'

'Dat duurt nog wel even. Ergens in juni.'

'Dat komt goed uit. Kunnen wij tenminste nog even doorsparen, hè, Mark?' Hij rammelt met Marks spaarvarken. Maar je hoort niks. 'Rijke stinkerd, hè, die zoon van mij.' Hij geeft Mark een aai over zijn bol. 'Geeft niks, hoor, jongen. Een mens kan niet alles hebben. Jij bent al knap. Wat zeg jij, Jasmijn?'

'Heeft hij dat dan niet van u?' vraagt Jasmijn.

Marks vader lacht. 'Toe maar, zo kan die wel weer! Vertel eens, hoe ging het met de Watergeuzen?'

'Een tien,' zegt Mark.

Zijn vader knikt goedkeurend. 'Dat zal Rob leuk vinden. Nou, ik zal jullie maar weer alleen laten.' Zodra hij de kamer uit is, vouwt Jasmijn het formulier open. 'Zal ik het wagen?' Ze houdt haar vulpen erboven.

'Tuurlijk.'

Jasmijn buigt zich over het papier. Maar telkens trekt ze haar pen terug. 'Het gaat niet als jij kijkt.'

'Oké, ik ben al weg.' Mark gaat voor het raam staan. Hij hoort Jasmijns pen over het papier krassen. 'Gelukt!'

Meteen staat Mark naast Jasmijn. 'Prima! Als jij het nou in de envelop stopt, haal ik even een postzegel.' Hij heeft de postzegel nog niet in zijn hand, of de telefoon rinkelt.

'Ik pak hem wel!' Mark neemt de hoorn van de haak. 'Met Mark Jonkers!'

'Goedemiddag,' klinkt een superdeftige stem aan de andere kant van de lijn. 'Jongeheer, u spreekt met professor Jaartal. Ik ben op zoek naar een aantal ambitieuze jonge mensen die met mij een historisch onderzoek willen doen. Ene meester Karel gaf mij uw naam op. U schijnt zeer gegrepen te zijn door ons historisch verleden, klopt dat?'

Mark houdt de hoorn verbluft tegen zijn oor. 'Eh, hoe bedoelt u dat?'

'Hahaha... die Mark!' klinkt het door de hoorn.

'Rob, stinkerd!' brult Mark. 'Mij een beetje in de maling nemen, hè?'

'Vertel me nu maar hoe je proefwerk ging,' zegt Rob.

'Een tien!'

'Jongen, je bent een genie!' roept Rob uit. 'Ze moeten je huldigen. Ze moeten een standbeeld voor je oprichten. Ze moeten...'

'Ja, zo is het wel weer genoeg,' lacht Mark. 'Nog meer onzin, meneer?'

'O, vind jij jezelf geen standbeeld waard? Nou, geef me je pa dan maar even.'

'Ik zal hem roepen. En nog bedankt voor de les, hè? Pa, telefoon!'

Als zijn vader de kamer binnen komt, houdt Mark de hoorn omhoog. 'Rob voor je aan de lijn.' Dan ziet hij hoe zijn vader bloost. Mark wil weglopen, maar zijn ogen worden zijn vaders kant op getrokken...

'Kom je nou nog?' roept Jasmijn.

Een beetje verward slentert Mark terug naar zijn kamer. Er is iets aan zijn vader dat hem onrustig maakt. Jasmijn heeft niks in de gaten. Ze plakt de postzegel op de envelop. 'Ik hoop zo dat ik slaag,' zegt ze opgewonden. 'Vannacht heb ik bedacht hoe ik het moet aanpakken met mijn ouders. Weet je hoe?'

Jasmijn begint te vertellen. Maar Mark kan zijn aandacht er niet bij houden. Door de deur hoort hij zijn vader met Rob praten.

'Vind je dat geen goed idee?' vraagt Jasmijn.

'Eh... wat...?'

'Nou zeg, je luistert niet eens! Ik vroeg of je vanavond bij ons wilt eten. Ik ben alleen met mijn moeder. Misschien kunnen we haar overhalen.'

'Dat moet ik even vragen. Als mijn vader al heeft gekookt, gaat het niet.' Mark loopt de kamer in. In de deuropening blijft hij staan. Is dat zijn vader die zachtjes grinnikend aan de telefoon hangt? Zo kent hij zijn vader helemaal niet. Die is meestal kort en zakelijk aan de telefoon. Opnieuw krijgt Mark een onbehaaglijk gevoel. Hij draait zich om en sloft naar zijn kamer terug.

'Sorry, Jasmijn, ik denk dat ik maar thuisblijf vanavond.'

Harde Henkie

Met een glas cola in zijn hand en een zak chips naast zich installeert Mark zich op de bank. Zijn vader is er vanavond toch niet. Een mooie gelegenheid om die griezelfilm van vorige week nog eens te bekijken. Toch een perfecte uitvinding, zo'n video. Vanaf de bank schakelt hij hem in.

De film is nog maar net begonnen of er klinken voetstappen op de loopplank. Een paar tellen later vliegt de kamerdeur open en voordat Mark in de gaten heeft wat er gebeurt, ligt er een spiksplinternieuwe voetbal in zijn schoot.

'Hoe vind je hem?' vraagt Joost trots.

Mark springt overeind. Hij kopt de bal naar Daan, die inmiddels ook is binnengekomen. 'Gaaf balletje, zeg!'

'Mag ook wel,' zegt Joost. 'Twintig euro. Daarvoor heb ik vier weken het gras moeten maaien en de auto moeten wassen.'

'Dat balletje moeten we natuurlijk wel uitproberen,' vindt Daan.

'Wat dacht je!' Mark staat al bij de deur. 'Waar?' vraagt hij, terwijl hij zijn fietssleuteltje in het slot steekt.

Joost springt op zijn fiets. 'Achter het station. Daar komt Gijs ook naartoe.'

Achter elkaar racen ze met zijn drieën de kade af. En nog geen kwartier later hollen ze al achter de bal aan.

Mark staat in het doel. Hij legt de bal op de grond en loopt achteruit. Hij wil een aanloop nemen. Maar dan ziet hij een groepje jongens aankomen. 'Harde Henkie! Wegwezen, jongens!'

Mark grist de bal van het veld en schiet de bosjes in. De anderen stormen achter hem aan. Maar de club van Harde Henkie heeft hen al ingesloten.

'Hé, mooi balletje, jongens!' Harde Henkie stapt tergend langzaam op Mark af. 'Hier met die bal!' En hij steekt zijn hand uit.

Mark voelt zijn bloed koken. Het liefst zou hij Harde Henkie een trap onder zijn kont geven. Maar dan kunnen ze hem straks bij elkaar vegen.

'Komt er nog wat van?' vraagt Harde Henkie met een dreigende stem.

Mark laat de bal vallen. Harde Henkie schiet hem naar een jongen met rood krullend haar. Met zijn drietjes spelen ze een tijdje over. De anderen kijken gespannen wat er gaat gebeuren. Ze durven niks te zeggen. Opeens kijkt Harde Henkie hun kant uit.

'Wat staan jullie daar nou, eikeltjes!'

'We wachten op onze bal,' zegt Joost.

Harde Henkie begint vals te lachen. 'Horen jullie dat, jongens? Ze willen hun bal terug. Dat kan, hoor.' Hij loopt naar hen toe. 'Pak hem maar.' Harde Henkie houdt de bal vlak voor Joost. Zodra die zijn hand ernaar wil uitsteken, grijpt Harde Henkie in zijn zak, haalt zijn zakmes eruit en steekt de bal lek. 'Klootzak!' schreeuwt Joost.

'Worden we brutaal?' Harde Henkie grijpt Joost bij zijn keel.

'Nou?' Henkies vingers drukken gemeen. 'Wat had je te zeggen, jochie?'

'Niks,' piept Joost.

'Dat dacht ik ook.' Harde Henkie geeft Joost een harde zet, zodat hij achterovervalt.

'Kom op, jongens!' Hij fluit tussen zijn tanden en het groepje loopt weg.

Joost staat op. Hij geeft een trap tegen de lekke bal. 'Heb ik me rot voor gewerkt. Twintig euro naar de knoppen. Rotzak!' Hij raapt zijn fiets op. 'Ik smeer hem.'

'Ik rij met je mee,' zegt Gijs.

Daan kijkt Mark aan. 'Ga jij naar school?'

Mark aarzelt. Wat moet hij thuis? Hij heeft geen zin meer in die griezelfilm; hij heeft vanavond genoeg monsters gezien. 'Ik ga even langs mijn vaders atelier. De mazzel.' En hij rijdt weg.

Het atelier

Mark fietst onder het viaduct door. Niet eens zo'n gek idee om naar het atelier te gaan. Kan hij gelijk zien hoe dat grote schilderij is geworden. Hij heeft een tijdje geleden de opzet gezien, best geinig, met die felle kleuren. Hij slaat rechts af de Singel op. Dan ziet hij aan de waterkant een meisje zitten. 'Jasmijn!' Hij schiet het gras op. 'Jasmijn, weet je wat Harde Henkie heeft...'

Zijn woorden blijven in zijn keel steken. Hij ziet het verdrietige gezicht van Jasmijn. Hij legt zijn fiets in het gras en gaat naast haar zitten.

'Heb je weer ruzie?' vraagt hij voorzichtig.

Jasmijn knikt. 'Ik begon onder het eten over Dalenberg. Toen kregen we heel erge ruzie. Mijn vader wil er geen woord meer over horen. Hij denkt er zelfs over mij van turnen af te halen.'

'Waarom?'

'Omdat ik een onvoldoende had voor mijn geschiedenisproefwerk. Hij keek in mijn agenda en toen begon hij te dreigen. Als hij dat durft, dan...' Jasmijn rukt woedend een paar graspollen uit de grond.

'Wacht nou even,' sust Mark. 'Er moet toch iemand zijn die je vader kan overhalen.'

'Mijn vader! Met mijn vader valt niet te praten. Die kan niet luisteren naar een ander. Hij raast alleen maar en hij…'

'Wat dacht je ervan als we het aan mijn pa vragen?'

'Jouw vader?'

Mark knikt. 'Die laat hem rustig uitrazen. En daarna komt hij met spijkerharde argumenten waarom jij toch naar Dalenberg moet.'

'Zou hij dat willen doen?' vraagt Jasmijn.

'Ga mee naar het atelier. Dan vragen we het meteen. Het is hier vlakbij.' En voordat Jasmijn er iets tegenin kan brengen, steekt Mark zijn hand uit en trekt haar overeind.

'Zie je dat ik heb gehuild?' vraagt Jasmijn als ze voor het atelier staan.

'Valt wel mee. Alleen je ogen zijn een beetje rood. Je kunt net zo goed verkouden zijn.' Mark wijst op zijn vaders fiets. 'Hij is er gelukkig.'

Mark kleppert met de brievenbus, maar er wordt niet opengedaan. 'Hij heeft zeker muziek op staan,' zucht Mark.

'Waarom bel je niet gewoon aan?'

'De bel doet het niet.' Mark bukt. Hij tuurt door de brievenbus het atelier in. Zijn hart staat stil. Is dat zijn vader die met Rob staat te vrijen? Verschrikt schiet Mark omhoog. Hij ziet spierwit.

'Wat heb je?' Jasmijn kijkt hem vragend aan.

Mark trilt over zijn hele lichaam. Hij kan geen woord uitbrengen. Jasmijn bukt zich om naar binnen te kijken.

'Niet doen!' Mark sleurt haar bij het atelier vandaan. 'Kom mee, we moeten hier weg.' Met trillende vingers pakt hij zijn fiets.

'Wat is er nou opeens?' dringt Jasmijn aan.

'Het kan niet,' stottert Mark. 'We kunnen niet naar binnen. Ik

breng je wel thuis.' Hij trekt haar op de stang.
'Ik hoef nog helemaal niet naar huis,' stribbelt Jasmijn tegen.
Maar Mark hoort haar niet eens. Hij racet de straat uit. Voor
het huis van Jasmijn houdt hij stil.
'Ga je nog even mee?' vraagt Jasmijn.
'Sorry,' zegt Mark. 'Ik moet onmiddellijk naar huis.'
En terwijl Jasmijn hem stomverbaasd nagaapt, sjeest hij de
hoek om.

Blind en doof racet Mark door de stad. Wég! Weg van wat hij
heeft gezien.
Bij de havens houdt hij stil. Hij gaat op de rand van de steiger
zitten. Totaal overstuur staart hij in het water.

Hij wou dat hij droomde. Maar het is geen droom. Het is echt waar! En hij maar denken dat zijn vader een vriendin heeft. Er is helemaal geen vriendin. Hij is verliefd op Rob.

Mark bijt op zijn lip. Dan had hij liever die Liesbeth met haar gezeur. Hij slaat zijn handen voor zijn gezicht. Zijn vader met een man...

Hoe moet hij dit ooit aan Jasmijn vertellen?

Wat moet ze wel niet van hem denken? Misschien wil ze wel niks meer met hem te maken hebben. Ze mag het niet weten. Niemand mag het weten. Helemaal niemand.

Mark zucht. Hij vertelt ook niet aan vader wat hij heeft gezien. Niks zegt hij. En hij wil er ook niets over horen. Als zijn vader erover begint, dan...

Mark hoort de klok tien uur slaan. Kon hij hier maar de hele nacht blijven. Hij wou dat hij nooit meer naar huis hoefde. Dat zijn vader niet bestond. Dat hij zelf ook niet bestond. Het liefst zou hij oplossen in het water, als een suikerklontje.

Het is al laat als hij eindelijk genoeg moed verzameld heeft om te vertrekken.

Hij raapt zijn fiets op en rijdt naar huis. Wat moet hij zeggen als zijn vader vraagt waarom hij zo laat is? Mark denkt na. Een lekke band, dat lijkt hem het beste.

Op de brug laat hij zijn band leeglopen. Met lood in zijn schoenen sjokt hij naast zijn fiets de kade op.

Zodra hij de eerste stap op de loopplank zet, gaat de deur open.

'Mark, waar zat je? Ik heb Jasmijn gebeld. En Joost en Daan. Die waren al lang thuis.'

Mark slentert de kamer in. Hij kan geen woord uit zijn keel

krijgen. Dan ziet vader zijn bleke, behuilde gezicht.

'Wat is er gebeurd, knul?' Hij pakt Mark vast.

Mark ziet het lieve, bezorgde gezicht van zijn vader en zonder dat hij het wil, komt het eruit: 'Pap... ik heb je gezien... ik heb jou met Rob gezien...'

Het blijft even stil. Dan begint zijn vader: 'Ik wilde je het al zo lang vertellen, maar het leek telkens of je niet wilde luisteren. Het is misschien moeilijk voor jou, maar ik hou van Rob. Ik heb me nog nooit zo gelukkig gevoeld.'

Mark slaat zijn ogen op. Hij ziet de warme blik van zijn vader. Dat gezicht waar hij zoveel van houdt. Hij slikt een paar keer om zijn tranen weg te dringen.

'Het is zo raar...' stamelt hij hees. 'Ik durf het aan niemand te vertellen.'

'Dat hoeft ook niet,' zegt zijn vader. 'Jij vertelt het pas op je eigen moment. Ik weet dat het komt, Mark. Er komt een moment dat je het heel gewoon vindt. Nu nog niet. Misschien nog lang niet. Neem je tijd.'

Mark kijkt verdrietig. Vader slaat een arm om hem heen en trekt hem dicht tegen zich aan. 'Denk erom, jij bent mijn knul.' Mark knikt zwakjes.

De munten

Mark en Jasmijn staan in de hal van het ziekenhuis te wachten. Ze gaan bij Stef op bezoek.

'Ik hoop dat we er met zijn zessen bij mogen,' zegt Mark.

'Voorlopig zijn we nog maar met zijn tweetjes.' Jasmijn werpt een ongeduldige blik op de klok die in de hal hangt. Hij wijst tien over twee aan. 'Ah, daar heb je ze!'

Met veel lawaai struinen Gijs, Daan, Telma en Joost het ziekenhuis in.

Mark imiteert meester Karel. Hij trekt zijn wenkbrauwen hoog op en tikt op zijn horloge.

'Sorry, meester,' zegt Joost met een onschuldig stemmetje. 'De brug stond open.'

'En mijn band was lek,' slijmt Gijs.

'Ik heb me verslapen,' grinnikt Telma.

'Ik kon mijn fietssleuteltje nergens vinden,' zegt Daan.

'Ja ja,' lacht Mark. 'Vertel op, waar ligt Stef?'

'Stef ligt niks…' Met een ruk draait het groepje zich om.

'Steffie, ouwe makker!' Mark wil zijn vriend omhelzen, maar Stef geeft een schreeuw. 'Pas op, ik sta nog te wiebelen op mijn benen, man.'

'Dat je nou alweer uit je nest mag,' zegt Joost.

'Nog vier dagen, dan mag ik naar huis.' Stef straalt als hij dat zegt.

'Blitse pyjama,' zegt Telma.

'Mooi, hè? Die heeft mijn broer meegenomen uit Suriname.' Stef knoopt zijn ochtendjas los, zodat ze hem beter kunnen zien.

'Blij dat je weer naar huis mag?' vraagt Daan.

'Tuurlijk,' antwoordt Stef. 'Wat dacht jij nou? Hoewel het hier best leuk is. Ik lig met een ouwe zeebonk op zaal. Dat is lachen, man. Eigenwijs dat die kerel is! Hij mag geen alcohol. Nou, dat had je gedacht! Mooi dat er een jeneverfles in zijn nachtkastje staat. En tetteren dat hij doet! Ik heb ook een slokkie gehad.' Stef trekt een vies gezicht. 'Net spiritus. Willen jullie zien waar ik lig?'

Stef schuifelt naar de lift. Je kunt zien dat hij nog zwak is. Na een paar stappen blijft hij al staan. 'Jeminee, het lijkt wel of ik de halve wereld heb afgereisd.'

'Kom maar, hoor!' Telma en Jasmijn nemen Stef tussen zich in.

'Zuster, ik kan niet meer!' kreunt Joost jaloers.

'Hou op, hè!' zegt Jasmijn dreigend.

'We gaan met de personeelslift.' Stef drukt al op het knopje. Zodra de liftdeur opengaat, dringen ze naar binnen. Stef drukt het knopje van de bovenste etage in. De lift suist omhoog.

'Ik dacht dat jij op acht lag?' zegt Gijs.

'Lig ik ook. We maken een klein omweggetje. Effe rondneuzen op de operatieafdeling. Kijken of mijn blindedarm er nog ligt.'

'Ben je gek, man!' Joost schrikt. 'Straks krijg je gezeik.'

Stef doet net of hij niks hoort. Als de lift stopt, duwt hij Mark naar voren. 'Jij houdt toch van horror, Mark? Moet je door die deur gaan.' Hij wijst op een deur waar VERBODEN TOEGANG op staat.

'Kijk maar uit,' grapt Gijs. 'Als ze die kop van Mark zien, beginnen ze meteen te snijden.'

'Gatver.' Jasmijn en Telma doen of ze moeten spugen.

'Wat is er achter die rode deur?' vraagt Mark nieuwsgierig.

'De intensive care,' weet Joost.

'Dat moet ik zien.' Ze sluipen de gang door. Maar als ze een paar stappen hebben gedaan, gaat er een deur open. Als hazen schieten ze terug de lift in.

'Wegwezen!' sist Stef. 'Straks word ik het ziekenhuis uit getrapt.'

Hij drukt op het knopje van de achtste verdieping. Nog net op tijd zoeft de lift omlaag.

'Nou hebben jullie nog mijn blindedarm niet gezien,' zegt Stef als ze de lift uit stappen.

'Arme Telma,' plaagt Joost. 'Ze wou hem nog wel boven haar bed hangen.'

'Helaas, mijn blindedarm heeft al een bestemming. Als ik beter ben, binden we Harde Henkie ermee aan het spit.' Stef zwaait lachend een witte deur open. In een klein zaaltje staan twee bedden naast elkaar.

'Hier lig ik.' Stef gaat op het bed naast het raam zitten. 'En daar ligt ome Cor. Zo heet hij. Hij is even weg voor onderzoek. Jammer, anders konden jullie hem zien. Onder zijn bed staan ook krukjes. Die mogen jullie best pakken, hoor.' Stef houdt een boek omhoog. 'Hé, nog bedankt hiervoor! Ik ben al over de helft. Het is hartstikke spannend.' Hij slaat het open. Op de titelpagina staan allemaal namen geschreven.

'Geef even, ik moet mijn naam er nog in zetten.' Jasmijn haalt haar etui uit haar rugzak en pakt een pen.

'Hoe kom jij aan die confetti?' vraagt Mark verbaasd.

Jasmijn zet een krabbel in Stefs boek. 'Van Krentje gekocht.' Ze houdt triomfantelijk drie zakjes omhoog.

'Gekocht...?' roept Mark uit. 'Voor hoeveel?'

'Tien eurocent per zakje.'

'Dat lieg je,' zegt Mark. 'Je neemt me in de maling.'

'Nee, hoor,' zegt Stef. 'Hij heeft het mij ook voor tien eurocent aangeboden.'

'Wat een klojo,' zegt Mark. 'Weten jullie hoe Krentje eraan komt?'

'Nou?'

'Van mijn vader gekregen. Een hele doos vol. Krentje was erbij toen mijn vader het meebracht. Hij kwam mijn woordjesschrift lenen. Toen vroeg hij of hij er wat van mocht hebben. Hij had het nodig voor een feest.'

'Dat noem ik brutaal,' zegt Joost.

'Dat je daar nu pas achter komt.' Gijs kijkt Mark aan. 'De halve school loopt met zakjes confetti, man.'

'Dat neem ik niet.' Mark slaat met zijn vuist op het nachtkastje. 'Ik pak hem terug. Ik weet alleen nog niet hoe.'

'Zeg maar wat het oplevert,' biedt Stef aan. 'Ik verzin wel iets.'

'Begin jij nou ook al?' lachen de anderen.

'Even serieus, jongens,' zegt Mark. 'We moeten iets verzinnen.'

Een tijdje blijft het stil. Dan begint Daan heel hard te lachen. 'Ik heb het…!'

'Vertel op!'

'Ik heb thuis nog twee munten. Een keer van mijn oom gekregen. Ze lijken net echt, maar ze zijn nep! Mijn oom was er ook in getrapt. Ze staan in een catalogus voor twaalf euro vijftig per stuk.'

'Dat is een goeie.' Mark geeft Daan een klap op zijn schouder. 'We vragen tien euro per paar aan Krentje.'

'Wedden dat-ie erin trapt?' lacht Joost.

'Dan moet je natuurlijk wel de catalogus erbij houden,' zegt Jasmijn. 'Anders gelooft hij het niet.'

'Wedden dat hij meteen naar de muntenwinkel rent?' Stef wrijft in zijn handen. 'Wat zal hij voor gek staan…'

'Maar daarna geven we hem wel zijn geld terug,' vindt Mark.

'Logisch,' zegt Daan. 'Maar eerst laten we hem even lekker in de zenuwen zitten. Tien euro kwijt. Hij vermoordt me.'

'Die Krentje...' Stef lacht. 'Wat zal hij op zijn neus kijken! Dat is een goeie, jongens. Dat wordt een supervoorstelling. Haha... die Krentje.'

'Gaat het hier een beetje?' De zaalzuster steekt haar hoofd om de deur en kijkt bezorgd naar Stef. 'Wordt het langzamerhand geen tijd om te rusten?'

'Helemaal niet. Ik ben nog lang niet moe.'

'Sorry, Stef, je bezoek moet nu afscheid nemen.' De verpleegster blijft demonstratief in de deuropening staan.

'Ik hoor toch wel hoe het is gegaan, hè?' vraagt Stef.

'Tuurlijk,' belooft Joost. 'Ik kom het je morgen persoonlijk vertellen.'

'Hou je taai, hè!' Ze lopen lachend naar de lift.

Opa

'Zullen we naar jouw huis gaan?' stelt Mark voor als ze uit school komen.

'Prima,' zegt Jasmijn. 'Mijn opa is er. Hij kwam het horloge van mijn moeder brengen. Dat heeft hij gerepareerd.'

'O ja, jouw opa was klokkenmaker, hè?'

'Was?' lacht Jasmijn. 'Je kent Zonnegloren. Ik geloof dat er niet één klok in dat bejaardenhuis staat die mijn opa níet onder handen heeft gehad.'

'Ook die grote staande klok in de hal?' vraagt Mark.

Jasmijn knikt. 'Ik geloof dat die al tien jaar stilstond.'

'Knap, hoor,' vindt Mark. 'Het zou echt niks voor mij zijn. Ik zou helemaal maf worden van dat gepriegel aan die uurwerken.'

'Vroeger hadden mijn opa en oma een klokkenwinkel,' vertelt Jasmijn. 'Dat gaf altijd zo'n geheimzinnig geluid. Al die klokken die door elkaar tikten. Soms vond ik het 's nachts, als ze twaalf sloegen, wel eng. Ik was bang dat ze begonnen te leven.'

'Echt weer iets voor jou,' grinnikt Mark.

Ze lopen de Lindenlaan in. Voor een groot herenhuis blijven ze staan.

'Ha, opa!' Jasmijn klopt op het raam, rent naar binnen en valt haar opa om zijn hals.

'Dag, meneer.' Mark geeft Jasmijns opa een hand.

'Zo, jongen, hoe is het met jou?'

'Goed,' antwoordt Mark.

'Jasmijn, ik heb genoten van je turnwedstrijd. Je moeder heeft de videoband voor mij gedraaid. Kind, kind, wat ben ik trots op je. Wil je geloven dat ik er tranen van in mijn ogen kreeg? Je snapt dat ik daar wel even in Zonnegloren mee wil pronken. Als je hem tenminste een tijdje kunt missen.' Opa knijpt zachtjes in Jasmijns schouders.

'Tuurlijk. Ik heb die band al vaak genoeg bekeken. Wilt u mijn gouden medaille ook zien?'

'Wat dacht je?'

Jasmijn vliegt naar boven.

'Kijk eens!' Ze legt de medaille in opa's hand.

'Wat een pracht!' Je kunt zien dat opa echt trots is. 'Het zal me toch niet gebeuren dat ik een beroemde kleindochter krijg, hè?'

'Ik wil naar Dalenberg,' zegt Jasmijn. 'Appie heeft gezegd dat ik de test kan halen. Maar van papa en mama mag het niet.' Ze kijkt haar opa hoopvol aan.

'Kees wil liever dat Jasmijn turnen als hobby houdt,' verduidelijkt mevrouw De Wit.

Opa neemt een trek van zijn sigaar. 'Als je van je hobby je beroep kunt maken, ben je een rijk mens. Eerst was klokkenmaken mijn hobby. Mijn ouders dachten dat ik er geen droog brood mee kon verdienen. Ik was eigenwijs. En het is me toch gelukt.'

'Zie je nou wel!' roept Jasmijn uit. 'En ik wil turnster worden. En als je iets echt wilt, dan lukt het ook.'

'Het gaat toch niet weer over dat verdomde sportinternaat, hè?' Meneer De Wit stampt woedend de kamer in. 'Ik dacht dat we hadden afgesproken dat het laatste woord daarover was gezegd.' Mark ziet dat hij paars aanloopt.

'Door jou misschien!' schreeuwt Jasmijn brutaal. 'Maar niet door mij! Als je dat maar weet. Kom, Mark.' Ze trekt Mark de kamer uit.

'Ho ho, wacht even.' Opa komt hen achterna. 'Als jullie toch weggaan, kan ik misschien een stukje meelopen naar het station.'

'Dat hoeft niet, pa,' zegt Jasmijns vader. 'Ik breng u wel even met de auto naar het station.'

'Nee, jongen, wat dat betreft ben ik net als mijn klokken: ik loop graag.' En voordat meneer De Wit er iets tegenin kan brengen, heeft opa zijn jas al aan.

Hij geeft Jasmijns moeder een zoen. 'Els, bedankt voor de thee. En mochten er klachten zijn met je horloge, dan hoor ik het wel.'

'Dag, jongen.' De vader van Jasmijn krijgt een klopje op zijn schouder.

'Ik hoopte dat u een goed woordje voor me zou doen,' zegt Jasmijn teleurgesteld als ze buiten lopen.

'Dat zou heel onverstandig zijn geweest, kind.' Opa trekt Jasmijn aan haar haar. 'Ik ken mijn zoon. Dat had het alleen maar erger gemaakt. Je moet het juiste moment afwachten.'

'Marks vader is veel liever,' zegt Jasmijn opstandig. 'Die zou juist hartstikke blij zijn voor Mark. Die houdt tenminste van Mark. Maar papa…'

'Zo moet je dat niet zien.' Opa pakt Jasmijns hand. 'Jouw vader is alleen maar bezorgd voor je toekomst. Hij heeft het beste met je voor.'

'Daar geloof ik niks van. Als dat zo was, zou hij me heus wel laten gaan.'

'Soms is dat heel moeilijk,' legt opa uit. 'Je vader heeft een bepaald idee over jouw toekomst in zijn hoofd. En nou gooi jij opeens roet in het eten met je sport. Hij moet eraan wennen. Geef hem de tijd.'

'De tijd… de tijd…' moppert Jasmijn. 'Die test is al over een paar weken.'

'Ja, dat is lastig.' Opa trekt aan zijn snor.

'Kunt u een geheimpje bewaren?' vraagt Jasmijn. 'Ik heb me

stiekem toch ingeschreven voor die test. Niet tegen papa en mama vertellen, hoor!'

'Ik weet van niks,' glimlacht opa. 'Als ik thuis ben, zal ik er wel eens rustig over nadenken wat we eraan kunnen doen om je vader op andere gedachten te brengen. Afgesproken?'

Jasmijn knikt. In haar ogen staan tranen. 'Ik… ik wil het zó graag!'

'Vertrouw er nou maar op dat alles goed komt. Maak nou geen ruzie meer. Je moet het even laten rusten. Als je die test hebt gehaald, is het vroeg genoeg om erover te kibbelen.'

'Misschien wel,' snottert Jasmijn.

Opa blijft voor het stoplicht staan.

'We hoeven niet over te steken, meneer. Het station ligt aan deze kant,' wijst Mark.

'Maar aan de overkant zie ik een snackbar,' zegt opa glunderend. 'Waar of niet? Wat denken jullie ervan?'

'Lekker!' juicht Mark. 'Ik neem ijs.'

'Ik ook. En jij, opa?' Jasmijn slaat een arm om haar opa heen.

'Ik neem patat, met een dikke klodder mayonaise. Dat krijgen we nou nooit in Zonnegloren. En ik denk dat ik er ook nog een lekker frikadelletje bij neem.' Opa's ogen twinkelen jongensachtig.

Dracula

Eigenlijk voelde Mark zich vandaag best redelijk. Dat kwam natuurlijk door die grap die ze met Krentje wilden uithalen. En in de snackbar was het ook gezellig. Maar hij is nog niet op weg naar huis of zijn hoofd begint te malen.

Zou het een bevlieging zijn van zijn vader...? Hij hoopt het van harte. Maar als hij heel eerlijk tegenover zichzelf is, moet hij toegeven dat het echt menens lijkt. Die blik in zijn vaders ogen, zijn opgewekte humeur van de laatste tijd. Alles wijst erop dat hij tot over zijn oren verliefd is. Zo heeft Mark hem nog nooit gezien. Zo tevreden...

In gedachten draait hij de deur van het slot. Op de keukentafel ligt een briefje.

De expositiekoorts is uitgebroken. Ik sluit me vandaag op in mijn atelier. Haal maar Chinees of zoiets. Ger.

Mark zucht. Alsof hij nu in een bui is om de hele avond in zijn uppie te zitten! Hij pakt het briefje van tien euro dat onder de brief uitsteekt. Hij kan natuurlijk ook een paar boterhammen voor zichzelf klaarmaken. Dat kost niks. Dan kan hij van het geld een bioscoopje pikken. Niet gek. Misschien draait er wel een goeie griezelfilm...

Hij slaat de krant open. Niks dus. In de ene bioscoop draait een of andere schietfilm en in de andere iets heel zoetsappigs. Alleen van de plaatjes al heeft hij zijn buik vol.

Wat nu? Onrustig ijsbeert hij door de keuken. Dan hoort hij een auto voor de boot stoppen. Wie kan dat nou zijn? Mark kijkt naar buiten. Nee toch? Wat moet Rob hier? Zijn vader is er niet eens. Zo gemakkelijk als het contact vorige week ging, zo opgelaten voelt hij zich nu. Hij weet niet goed meer hoe hij tegen die man moet doen.

'Mag ik even binnenkomen?' Rob steekt zijn hoofd om de hoek van de deur.

'Mijn vader is op zijn atelier,' zegt Mark gauw.

Rob ploft op de bank neer. 'Laat hij jou zomaar alleen? Dat noem ik kindermishandeling.'

'Ik wou naar de film,' vertelt Mark. 'Maar er draait weer eens niks.'

'Waar hou je van?' vraagt Rob belangstellend.

'Horror en fantasie.'

'Je meent het!' Rob laat zich op zijn knieën vallen en vouwt zijn handen. 'Dank u, Heer. Dit kan geen toeval zijn. Eindelijk vind ik iemand die ook van horror houdt...'

'Ik heb er, jammer genoeg, maar weinig gezien,' zegt Mark dan. 'De meeste films zijn voor boven de achttien. Daar kom ik niet in. En mijn vader krijg ik niet mee.'

'Jongen, vertel welke je wilt zien en ik heb hem voor je!'

Mark kijkt Rob ongelovig aan.

'Ik heb ze allemaal thuis. De topacteurs: Vincent Price, Peter Lorre, Boris Karloff. Je kunt het zo gek niet bedenken of hij staat in mijn kast.'

'Echt waar? Heb je *Dracula*?' vraagt Mark opgewonden.

'Wat dacht je? Die moet ik minstens één keer per maand aanzetten voor Gloria en Esmeralda. Die zijn er dol op.'

'Gloria en Esmeralda?'

'O, die ken jij natuurlijk nog niet. Ik woon met twee bejaarde dametjes,' legt Rob uit. 'Zin om mee te gaan?'

Mark knikt stralend. Hij voelt zich weer op zijn gemak bij Rob. Net als toen hij over de Watergeuzen vertelde.

'Waar woon je eigenlijk?' vraagt Mark als hij naast Rob in de auto zit.

'Schrik niet,' zegt Rob. 'Achter het park.'

'O, in die...'

'Ja, zeg het maar gerust. In die kakbuurt. Dat klopt. Het ís ook een kakbuurt. Maar wij wonen er heerlijk. Gloria en Esmeralda wilden per se op stand wonen. Dat zijn ze gewend van huis uit. En ik pas me gewoon aan.' Rob stopt voor een prachtige villa.

'Chique boel,' lacht Mark. 'Wel wat anders dan die modderschuit van ons.'

'Alsof dat schip niet prachtig is!' roept Rob uit. 'Zie jij je vader in deze straat wonen?' Hij haalt glimlachend de sleutel uit zijn zak en doet de deur open.

'Zachtjes, hoor. Misschien slapen de dames.' Rob gaat Mark voor door een lange gang. Dan houdt hij de deur van de huiskamer open. 'Welkom.'

Op een kolossale bank die midden in de grote ruimte staat, pronken twee angorakatten.

'Mag ik je voorstellen, Mark? Dit is Gloria en dit is Esmeralda.' Mark schiet in de lach. Dus die dametjes zijn poezen!

'Duik vast de filmhoek in,' zegt Rob. 'Dan maak ik even iets te eten voor ons.'

Marks ogen glijden door de kamer. Wat een indrukwekkende ruimte. Overal staan planten. De bank en een klein tafeltje zijn de enige meubelstukken. Opeens slaat zijn hart een slag over. Tegenover de bank hangt het grote schilderij van zijn vader. Dus dat heeft Rob gekregen... Maar dan is het dus echt aan tussen die twee! Zijn maag trekt samen. Het liefst zou hij weggaan, maar daar is het nu te laat voor. Gelukkig valt zijn oog op een affiche die tegen de achterwand van de filmkast zit geplakt: *Dracula*...

Mark loopt naar de kast en bekijkt de films die erin staan. Wat een verzameling heeft Rob! Eén voor één pakt hij de banden. En heel langzaam voelt hij de rust in zichzelf terugkeren.

'En?' vraagt Rob als hij de kamer binnen komt. 'Nog iets kunnen vinden?'

'Ik zou ze allemaal wel willen zien,' bekent Mark. 'Maar *Dracula* is mijn topper.'

'Dan beginnen we daar toch mee.' Rob zet twee ronde houten borden met eten op het tafeltje. 'Kom je gezellig volgende week nog een keer. Voor een griezelfilm ben ik altijd te porren. Alleen op woensdag niet, dan zijn mijn jongens hier. En die houden er niet van.'

'Je jongens?'

'Mijn zoons. Dat had je niet gedacht, hè? Maar ik ben ook vader, hoor.'

'Ben je gescheiden?' vraagt Mark.

Er verschijnt een pijnlijke trek om Robs mond. 'Pas twee jaar. Voor mijn jongens was het het ergst. Ik was niet zo'n vader die ze alleen maar in bed stopte. Ik trok heel veel met ze op. Ze komen hier wel regelmatig, maar dat is toch anders.'

Mark kijkt naar Rob. Opeens lijkt hij heel ernstig. 'Mijn jongens zijn het belangrijkste wat ik heb. Als er iets met ze is, ben ik totaal van slag.'

'Hoe oud zijn ze?'

'Veertien,' vertelt Rob. 'Ze zitten bij mij op de scholengemeenschap. Grappig, hè? Ze krijgen les van hun eigen vader. Dat wilden ze zelf. Vorig jaar was ik zelfs mentor van hun klas. Dolle pret. We hielden regelmatig klassenavonden. Paul, mijn vorige vriend, woonde toen nog bij me. Die speelt prachtig piano. Sommige leerlingen namen hun instrument mee. Nou joh, dat swingde de pan uit.'

'Spelen jouw jongens ook iets?'

'Alex speelt trompet en Jasper gitaar. Ze maakten heel vaak muziek met Paul. Ik geloof dat zij het erger vonden dan ik toen het uitging.'

Mark is er stil van. Zou hij dat ooit durven? Zou hij ooit zijn klasgenoten durven uitnodigen bij zijn vader en Rob...

Een bekend geluid doet hem uit zijn gepeins opschrikken. Rob heeft de videoband aangezet en laat zich nu ontspannen op de bank neervallen.

'Een beter leven bestaat er niet, Mark. Bordje op schoot en dan voor de buis.'

Daar is Mark het volkomen mee eens. Terwijl hij een gebakken aardappeltje in zijn mond steekt, kruipt hij dichter bij het beeld. En nog geen tel later wordt hij door *Dracula* in beslag genomen.

Loten

'Laat zien!' roepen Mark en Jasmijn als ze het schoolplein op komen.

Daan duwt de catalogus onder hun neus en houdt de munten ernaast. 'Nou?'

'Super!' zegt Mark.

Jasmijn kijkt gniffelend over het schoolplein. 'Is Krentje er al?'

'Nog niet.' Daan wijst naar Gijs die op de uitkijk staat.

'Wie weten het allemaal?' vraagt Mark.

'Alleen ons groepje,' zegt Daan.

Mark knikt goedkeurend. 'Houen zo!'

Gijs fluit op zijn vingers.

'Hij komt eraan!' sist Daan. Snel buigen ze zich over de catalogus heen.

'Niet gek,' zegt Mark, hard genoeg zodat Krentje het kan horen. 'Die wil ik wel van je kopen.'

'Zou je willen.' Gijs duwt Mark weg. 'Dat wil ik ook wel. Iedereen wil wel vijftien euro verdienen.'

'Wat? Vijftien euro verdienen?' Krentje komt er meteen bij staan.

'Daan heeft dringend poen nodig,' zegt Joost.

'Ik ga mijn munten verkopen. Voor tien euro.'

'Tien euro? Voor die rotmuntjes!' roept Krentje uit.

'Die rotmuntjes hebben toevallig wel een waarde van vijfentwintig euro, hoor,' zegt Daan. 'Kijk maar in de catalogus.'

Krentje bestudeert de catalogus. Daarna vergelijkt hij de munten. 'Vijfentwintig euro? En jij vraagt tien?' Hij krijgt er een rood hoofd van. 'Misschien koop ík ze wel van je.'

'Te laat!' Mark geeft Krentje een klopje op zijn schouder. 'Ik ben je al voor, meneertje.'

'En wat dacht je van mij?' vraagt Gijs.

'Hoor eens,' zegt Daan. 'Ik kan ze niet aan jullie allemaal verkopen.'

'Waarom verloot je ze niet? Dat is eerlijk.' Telma kijkt Daan aan.

Daan haalt zijn schouders op. 'Mij best. Wie doet er mee?'

Mark en Gijs steken hun vinger omhoog. Ze kijken gespannen

naar Krentje. Even aarzelt die, maar dan… gaat ook zijn vinger omhoog.

'Mooi zo. Een getal onder de vijfentwintig.'

'Je moet het opschrijven,' zegt Krentje. 'Anders is het niet eerlijk.'

'Ik zeg het wel tegen Telma.' Daan fluistert iets in Telma's oor.

'Mark?' Daan kijkt zijn vriend aan.

'Twaalf.'

Telma en Daan schudden hun hoofd.

'Gijs?'

'Vier.'

'Ook niet.'

'Krentje?'

'Zeventien.'

Daan en Telma knikken. 'Sorry, jongens. Krentje heeft gewonnen.'

'Hij zal eens niet winnen,' moppert Gijs.

Krentje houdt triomfantelijk zijn hand op. Maar Daan schudt zijn hoofd. 'Eerst geld. Vanmiddag moet ik het hebben. Anders krijg je ze niet meer.'

'Oké.' En Krentje loopt de school in.

Mark steekt zijn duim omhoog. 'Gaaf!'

'Ssttt…' Gijs legt zijn vinger tegen zijn mond. 'Zo meteen hoort hij het.'

Daan wrijft in zijn handen. 'Dat wordt lachen, jongens. Wat dachten jullie van een feestje?'

'Ja,' zegt Joost. 'Bij Mark op de boot.'

'Bij mij?' Mark krijgt een kleur. Hij moet er niet aan denken! Zeker de hele groep bij hem op de boot. Zul je net zien dat Rob een vrije middag heeft en langskomt…

'Wat is het vandaag? Donderdag... Nee, eh... dat gaat niet...' stottert hij.

'Vanavond dan?' vraagt Daan.

'Nee... eh... eigenlijk kan het helemaal niet bij mij thuis. Mijn vader is ziek, zie je...'

'Ziek?' Telma kijkt hem verbaasd aan. 'En ik kwam hem gisteren nog tegen!'

'Hij is een soort ziek,' redt Mark zich eruit. De vlammen slaan hem uit. 'Hij is overwerkt. Dat komt door die expositie. Ik mag voorlopig niemand mee naar huis nemen...'

Mark kijkt naar de grond. Als ze nou maar niet verder vragen. Maar voordat iemand erop in kan gaan, heeft Jasmijn een veel beter idee. 'We geven een feestje bij Stef, in het ziekenhuis. Dan kan hij meteen horen hoe het is gegaan.'

Dat vindt iedereen een veel beter plan. Op dat moment gaat de bel.

'Kom op, jongens, anders wordt Kareltje ongerust.'

Jasmijn holt naar binnen. Dankbaar kijkt Mark haar na. Wat is het toch een kanjer van een meid. Hij zal haar missen.

De uitnodiging

'Wat ga je doen?' vraagt Marks vader als Mark na het eten zijn jas aantrekt.

'Ik ga naar Stef. Die is vandaag thuisgekomen, weet je nog wel?'

'O ja, dat is zo. Weten zijn ouders dat jullie komen?'

Mark schudt grijnzend zijn hoofd. 'Verrassing!'

'Als jullie het maar niet te bont maken,' waarschuwt zijn vader. 'Die jongen is net uit het ziekenhuis, hè?'

'Wat dacht je? Dat we hem gaan jonassen?' Mark manoevreert zijn fiets onder het afdakje uit. 'Tot vanavond.' Hij springt op zijn fiets en rijdt weg.

'Mark!' Zijn vader roept hem terug en zwaait met een envelop. 'Jij komt toch langs het postkantoor. Wil je deze even posten?'

'Aye, aye, sir!' salueert Mark. Hij laat de envelop in zijn jaszak glijden.

Neuriënd trapt hij in de richting van Stefs huis. Bij het stoplicht draait hij om. Was hij bijna de brievenbus vergeten! Hij crosst het pleintje over en haalt de brief te voorschijn. Aha, waar moet dat ding heen? Overige bestemmingen of streekpost? Daar heeft pa niks over gezegd. Mark kijkt op de envelop. Wáááat...? Aan de heer C.P. de Wit staat erop. Zijn vader heeft het adres doorgestreept en daarboven Retour afzender geschreven.

Mark staart met open mond naar de gele envelop. Een brief voor Jasmijn, van Dalenberg. Die had hij bijna in de brievenbus gegooid. Wat een geluk dat hij keek waar hij naartoe moest. En dat z'n vader binnenkort een expositie heeft. Anders had hij vast doorgehad dat die brief voor Jasmijn was. Hij stopt de brief zorgvuldig weg en slaat rechts af.

Eerst maar even langs Jasmijn, dan kunnen ze er voor het feestje nog over praten. Hopelijk is ze nog thuis. Zo niet, dan moet het maar na afloop. Maar als Mark de Lindenlaan in rijdt ziet hij in de derde tuin van de hoek Jasmijn al staan.

'Jasmijn!' Mark wappert met de brief.

In een wip staat ze naast hem. 'Voor mij?'

'Van Dalenberg!'

'Ssstt...' Jasmijn wenkt Mark de straat uit. 'Zo meteen hoort mijn vader het.'

Ze spurten in de richting van het park. Bij de eerste de beste bank smijten ze hun fiets in het gras. Mark wil de brief aan Jasmijn geven, maar die gaat gauw op haar handen zitten.

'Maak jij hem maar open,' zegt ze zenuwachtig. 'Ik durf het niet, hoor. Stel je voor dat ze in de gaten hebben gekregen dat we dat formulier zelf hebben ingevuld!'

Mark ploft naast haar neer op de bank. Hij scheurt de envelop open en haalt er een getypte brief uit.

'Lees nou voor!' Jasmijn wipt ongeduldig van haar ene bil op haar andere.

Mark schraapt plechtig zijn keel. 'Geachte heer De Wit. Het is

67

ons een genoegen u mede te delen dat de datum van de toelatingstest voor ons internaat is vastgesteld op zestien april
aanstaande.'

'Dat is al over twee weken!' schreeuwt Jasmijn erdoorheen.

'Stil!' commandeert Mark. 'Wij verwachten uw dochter om
tien uur op ons sportinternaat. De test zal worden afgenomen
door de dames Zwaan en De Groot en de heer Oudejans.
Mocht uw dochter op deze datum zijn verhinderd, dan ver-
nemen wij dat graag van u. Met vriendelijke groeten, de di-
rectie.'

Zonder een woord te zeggen grist Jasmijn de brief uit Marks
hand. Ze leest hem een paar keer over. 'Ik krijg nou al de zenuwen,' zucht ze. 'Dat red ik nooit! Hoe kom ik die twee weken door? En dan die treinreis, in mijn dooie eentje…'

'Wat nou, in je dooie eentje?' roept Mark verontwaardigd. 'Ik ga toch met je mee!'

'Helemaal naar Dalenberg?'

'Natuurlijk.'

'Maar de zestiende valt wel op een vrijdag, hoor,' rekent Jasmijn vlug uit. 'En hoe doen we het dan met school?'

'Spijbelen, hè,' zegt Mark doodleuk. 'Wat kan ons dat nou schelen? Als jij die test maar haalt.' Mark staat op. 'Zullen we?'

Jasmijn wil zich bukken om haar fiets op te rapen, maar midden in die beweging verstart ze.

'Hoe komen we aan het treingeld? Ik geloof dat er nog maar drie euro in mijn spaarpot zit.'

'Bent u onder de twaalf, mevrouw?' informeert Mark.

Jasmijn knikt.

'Dan kost het één euro.'

'Hij weet ook wat,' zegt Jasmijn vinnig. 'Alleen onder begeleiding, ja! Wat hebben we daar nou aan? Of dacht je soms dat ik mijn vader meevroeg?'

'Rustig maar,' probeert Mark haar gerust te stellen. 'We gaan gewoon voor het station staan. En dan vragen we aan alle oudere mensen of ze een paar uurtjes voor onze opa of oma willen spelen.'

'Dan moeten die wel toevallig dezelfde kant op gaan,' zegt Jasmijn.

'Dat vragen we toch gewoon? "Mevrouw,"' Mark zet een heel beleefde stem op, '"gaat u soms naar Arnhem?" Nou, wat vind je ervan?'

Jasmijn vindt het een dom plan. 'Als je zo'n brave borst als mijn vader treft, stapt die meteen naar de stationschef. En dan worden we nog opgepakt wegens spijbelen.'

'Wat wil jij dan?' moppert Mark. 'Liften gaat ook niet. Stel je voor dat je te laat komt. En ik kan het je ook niet lenen. Ik heb nog tien euro op de bank: net genoeg voor twee enkeltjes. En we moeten ook nog met de bus.'

'Prima!' zegt Jasmijn. 'Voor dertien euro komen we heus wel bij Dalenberg. Hoe we terugkomen, zien we dan wel weer. Waarschijnlijk liftend.'

Mark glundert. Het klinkt spannend.

'Durf jij dat tegenover je vader?' vraagt Jasmijn.

'Hoe bedoel je?'

'Misschien komen we hartstikke laat thuis,' zegt Jasmijn. 'Dat mijn ouders zich ongerust maken, kan me niks schelen. Eigen schuld. Moeten ze maar niet zo stom doen. Maar voor jouw vader vind ik het best rottig. Je zei toch dat hij overspannen is?'

Mark voelt dat hij een kleur krijgt. Dat heb je nou van dat gedraai! Hij vindt het vervelend tegen Jasmijn te liegen. Zal hij haar de waarheid vertellen? Het beeld van vader en Rob flitst door hem heen. Hij huivert. En dan weet hij het zeker. Niemand mag het weten. Ook Jasmijn niet. 'Ik, eh... ik zeg gewoon dat ik iets heel belangrijks moet doen. Dat ik die dag niet naar school kan. En dat hij zich geen zorgen hoeft te maken als ik laat thuiskom.'

'Pikt hij dat?'

'Zeker,' zegt Mark. 'Hij vertrouwt me gewoon.'

'Toffe vader heb je toch.' Jasmijn stapt zuchtend op haar fiets. 'Dat zou ik eens moeten proberen. Ik kwam de deur niet uit.'

'Stom, hoor,' vindt Mark, en hij rijdt achter Jasmijn aan.

In de verte horen ze de torenklok zeven uur slaan. Haastig fietsen ze het park door.

'Deftig woont Stef, hè?' Jasmijn wijst naar een paar grote villa's.

'Ja.' Mark vertelt maar niet dat hij in een van die villa's *Dracula* heeft gezien.

'Ha, die Mark.' Naast hen stopt een auto. Mark kijkt in het vrolijke gezicht van Rob. 'Wat moet jij in mijn nette buurt?'

'Opdracht van de vivisectie,' zegt Mark. 'We moeten hier ergens twee angorakatten ontvoeren. Ene Gloria en die andere naam ben ik vergeten. Ik geloof Esmeralda. Ja, dat was het.'

'Pas maar op jij!' Rob draait het raampje dicht en rijdt weg.

'Wie was dat?' vraagt Jasmijn.

'O, gewoon iemand die ik ken.' Mark probeert er vlug overheen te praten, maar Jasmijn onderbreekt hem.

'Je kunt toch wel zeggen hoe die man heet?'

Mark voelt het bloed naar zijn hoofd stijgen. 'Wat zeur je nou? Wat kan het jou schelen hoe die vent heet,' snauwt hij. 'Een kennis van mijn vader. Een vage kennis, meer niet.'

'Wind je niet zo op,' sust Jasmijn. 'Ik dacht alleen dat ik hem kende.'

Mark schrikt. 'Hoe bedoel je: kende...?'

'Hij lijkt op de klassenleraar van mijn broer. Een heel aardige peer. Hij geeft geschiedenis. Misschien is het hem wel helemaal niet, hoor. Ik heb hem maar één keer gezien. Bij een project.'

'Vast niet,' zegt Mark zo nonchalant mogelijk. 'Die leraren lijken allemaal op elkaar.' Het zweet staat in zijn handen.

De klassenleraar van Marco...! Het ontbreekt er nog maar aan dat ze binnenkort een klassenavond bij Rob houden. Mark ziet het al voor zich. 'En dit, jongens, is mijn nieuwe vriend Ger.'

Marco herkent zijn vader natuurlijk meteen…

'Hé, we zijn er, hoor!' Jasmijn geeft een ruk aan Marks stuur.
'Eh… wat?' Mark kijkt verward om zich heen. Dan ziet hij het rijtje fietsen staan. O ja, dat is waar ook. Stef is uit het ziekenhuis…

Ruzie

Zodra Johan de school uit komt, stoot Mark Daan aan. 'Toe dan!'

Daan stapt op Johan af. 'Hé, Krentje, hoe zit het eigenlijk met die munten?'

'Verkocht.' Johan haalt zeventien euro vijftig uit zijn portemonnee. 'Koekoek.'

Nu komen de anderen er ook bij staan. 'Heb je er zoveel voor gekregen?'

Johan glimt van plezier. 'Jullie raden nooit aan wie ik ze heb verkocht.'

'Nou?'

'Aan Harde Henkie, die zit bij mij op voetbal. Hij spaart munten en deze had hij nog niet. Eerst wilde hij me niet geloven, maar toen heb ik de catalogus laten zien.'

Mark verslikt zich zowat in zijn kauwgom. Als Harde Henkie erachter komt dat die munten vals zijn, maakt hij Johan af. Dat was niet hun bedoeling.

'Wat is er?' vraagt Johan als hij de verschrikte gezichten ziet.

Niemand weet iets te zeggen. Dan geeft Daan Mark een por. 'Vertel jij het maar.'

'Het kwam door die confetti. Je zei dat je het nodig had voor

een feestje en daarom kreeg je die confetti van mijn vader.
Nou, mooi feestje! Je hebt het gewoon verpatst. Ik was woedend op je, ik wou je terugpakken.'
'Hoe bedoel je, terugpakken?' vraagt Johan.
'Die munten zijn vals,' zegt Daan. 'We wilden je alleen maar een lesje leren. Het geld hadden we je heus wel teruggegeven.'
Johan verbleekt. 'Dus ik heb Harde Henkie twee valse munten verkocht.'
De anderen knikken.
'Weet hij waar je woont?' vraagt Joost.
Johan schudt zijn hoofd.
'Ook niet waar je op school zit?'
Johan denkt na. 'Ik geloof van niet.'
'Gelukkig,' zucht Mark. 'Wanneer moet je weer naar trainen?'
'Morgenavond om halfacht,' zegt Johan.
'Als ik jou was, zou ik die poen meenemen,' raadt Daan hem aan. 'Hij weet vast nog niet dat ze vals zijn. En dan kun je het hem gewoon vertellen en geef je hem zijn geld terug.'
Op dat moment wordt er getoeterd. De vader van Johan draait het raampje open. Hij wenkt dat Johan moet opschieten. 'Ook dat nog. Ik moet naar de tandarts.' Johan loopt weg.
'Wat doen we?' Mark kijkt de kring rond.
'We moeten zorgen dat we er morgenavond zijn,' vindt Jasmijn. 'Straks slaat hij Johan in elkaar. Die idioot is tot alles in staat.'
'Morgenavond om zeven uur bij de bosjes achter het sportveld,' zegt Daan.
'Oké, dan ga ik er nu vandoor. Ik heb haast.' Mark springt op zijn fiets.

'Wacht even, dan rij ik met je mee,' zegt Jasmijn.

'Sorry, ik moet naar het atelier van mijn vader. De expositie is al over een paar weken. Ik heb beloofd de enveloppen voor de uitnodigingen te schrijven.'

'Zal ik je helpen?' vraagt Jasmijn.

'Eh…' Mark weet zo gauw niet hoe hij eronderuit moet komen. Hij wil niet dat Jasmijn meegaat. Stel je voor dat Rob er is. 'Nee… eh… doe maar niet,' zegt hij dan. 'Ik denk dat het rustiger voor mijn vader is als ik alleen kom. Het is te druk, weet je…'

'Te druk? Te druk? En toen ik gisteravond langskwam, zat de kamer vol visite. Je vader had het hoogste woord. Gôh, wat is die ziek, zeg!'

'Dat waren zijn zusters,' probeert Mark zich eruit te redden. 'Die had hij al heel lang niet gezien.'

'Ja ja,' valt Jasmijn uit. 'En dat was zeker niet te druk, hè? De laatste tijd heb je steeds een ander smoesje als ik langs wil komen. Weet je wat ik denk? Dat je niks meer aan mij vindt.' Ze stapt op haar fiets en wil het schoolplein af rijden. Maar Mark houdt haar vast.

'Jasmijn, alsjeblieft, luister nou! Het is niet wat je denkt. Ik...' Jasmijn rukt zich los. 'Je kunt ophoepelen met je smoesjes.' En zonder om te kijken rijdt ze weg.

Mark kijkt haar geschrokken na. Nou heeft hij ook nog ruzie met Jasmijn! Allemaal de schuld van zijn vader. Waarom moet die ook zo nodig verliefd worden op Rob? Hij heeft helemaal geen zin meer om naar het atelier te gaan. Pa kan barsten met zijn uitnodigingen! Iedereen kan barsten. En in plaats van rechts af te slaan, fietst hij regelrecht naar de boot.

Woedend smijt hij de deur achter zich dicht en ploft in de stoel neer. Hij staart somber voor zich uit. Wat moet hij nou? Als hij Jasmijn niet uitlegt wat er aan de hand is, is hij haar kwijt. Maar als hij haar over vader en Rob vertelt, hoe zal ze dan reageren? En zijn vrienden...

Mark schrikt op van het gerinkel van de telefoon. Misschien is het Jasmijn? Hij grist de hoorn van de haak. 'Met Mark...'

'Hé, ben je mij vergeten?' klinkt zijn vaders nuchtere stem.

'Nee,' snauwt hij. 'Ik heb geen zin.'

'En hoe moet het dan met mijn uitnodigingen? Jij bent de enige met een beschaafd handschrift. Dat spijkerschrift van mij kan niemand ontcijferen.'

'Vraag het dan aan Rob,' zegt Mark hatelijk. 'Die is toch leraar? Nou, dan zal hij ook wel netjes kunnen schrijven.'

'Wat is er met jou aan de hand?' vraagt zijn vader. 'Moet ik soms naar huis komen?'

'Hoeft niet,' antwoordt Mark half huilend. 'Ik heb ruzie met Jasmijn. Ze wou mee naar het atelier. Hoe kan dat nou met Rob...'

'Luister, Mark, daar hoef je niet bang voor te zijn. Rob is hier niet. En hij komt vandaag ook niet. Als je verstandig bent, kom je zo gauw mogelijk hierheen. Met Jasmijn.'

'Alsof ze dat nog wil,' zucht Mark.

'Vraag maar of ze zin heeft om vanavond met zijn drietjes in een restaurant te gaan eten,' stelt zijn vader voor.

'In een restaurant? Daar is Jasmijn dol op. Vooral op de pizzeria.' Opgelucht legt hij de hoorn neer.

Zal hij haar opbellen? Nee, ze hangt vast op als ze zijn stem hoort. Zo is Jasmijn. Als die eenmaal kwaad is...

Hij kan beter even langsgaan.

Opgewekt springt hij op zijn fiets. Als hij tien minuten later aanbelt, doet de moeder van Jasmijn open.

'Kom binnen, Mark. Jasmijn is boven op haar kamer.'

Mark loopt de trap op. Hij klopt zachtjes op haar deur.

'Ja!'

Mark duwt de deur een kiertje open. 'Sorry, Jasmijn. Ik kom vragen of je toch mee wilt helpen. Het zijn veel meer uitnodigingen dan ik dacht. Ik red het nooit in mijn eentje.'

'Ben ik nou ineens wel goed?' vraagt Jasmijn koppig. 'Kan ze soms niet vanmiddag?' Ze gaat met haar rug naar hem toe staan.

'Wie, "ze"?'

'Je nieuwe vriendin. Wie anders?'

'Maar ik heb helemaal geen nieuwe vriendin,' zegt Mark verbluft.

'O nee? Waarom mag ik dan nooit meer langskomen? Je vindt mij gewoon stom. Zeg het maar eerlijk. En je hebt alvast een andere vriendin, omdat ik na de grote vakantie wegga...'
Mark hoort Jasmijn zachtjes snikken. Hij kan er niet tegen als ze huilt. Hij moet er bijna zelf van huilen.
'Als ik een ander vriendinnetje had, zou ik díe toch vanavond mee vragen,' zegt hij.
'Wat nou vanavond?' mokt Jasmijn. 'Ik weet helemaal niks over vanavond.'
Mark zucht. 'Dat kom ik nou juist vertellen. Als de uitnodigingen af zijn, trakteert mijn vader op een etentje. Ik mag iemand meenemen. Enne... toen dacht ik... Dus als jij zin hebt?'
Jasmijn draait zich om. 'Natuurlijk wil ik dat. Je bedoelt een etentje in een restaurant?'
Mark knikt blij.
'Naar welk restaurant gaan we?' wil Jasmijn weten.
'Dat mag jij zeggen. Als het maar niet de pizzeria wordt. Daar heb ik deze week al drie keer gegeten... met mijn nieuwe vriendin,' zegt Mark er plagend achteraan.
'Wat...? Ik krijg jou nog wel!' Jasmijn wil Mark grijpen, maar hij glipt langs haar heen de kamer uit, de trap af naar buiten. Vliegensvlug springt hij op zijn fiets.
'Mark, wacht!' schreeuwt Jasmijn. 'Ik moet het nog even vragen.'

Wraak

'Daar heb je ze!' sist Mark. Zes hoofden duiken weg in de struiken. Ze zien vol spanning hoe de club van Harde Henkie eraan komt. Tegenover het bruggetje blijven ze staan. Naast elkaar, zittend op hun bagagedrager, blokkeren ze de straat. Harde Henkie steekt een sigaretje op. Terwijl hij het bruggetje onafgebroken in de gaten houdt, blaast hij kringetjes.

'Dat belooft niet veel goeds,' voorspelt Mark.

'Moet je die kop zien,' fluistert Telma. 'Die is wat van plan, dat zie je zo.'

Na een tijdje knijpt Jasmijn in Marks hand. 'Krentje!' Ze kijken allemaal in de richting van het bruggetje. Met zijn sporttas op zijn rug komt Johan aan gefietst. Harde Henkie trapt zijn sigaret uit, springt op zijn fiets en rijdt Johan klem.

'Afstappen jij!' horen ze hem schreeuwen.

Ze zien hoe Johan het geld uit zijn zak haalt, hoe Harde Henkie het ruw uit zijn handen grist en opbergt, en hoe hij Johan een klap in zijn gezicht geeft. Maar dat is blijkbaar nog niet genoeg. Harde Henkie fluit op zijn vingers en de rest van de club komt eraan. De voorste zwaait dreigend met een dik touw.

Johan ziet het touw. Hij probeert te ontsnappen en racet weg.

'Grijp hem, jongens!' Harde Henkie scheurt achter Johan aan.

'Waar zijn ze?' Daan en Mark schieten de struiken uit. Aan de overkant van het sportveld zien ze Harde Henkie de bosjes in schieten.

'Erachteraan!'

Ze trekken hun fietsen uit de struiken en sjezen weg. Maar als ze bij de bosjes komen, kijken ze elkaar aan. Geen spoor van de club van Harde Henkie te bekennen.

Daan neemt de leiding. 'Sporen van fietsbanden, jongens. Deze kant op!' Hij slaat een zandpad in.

Terwijl ze voortdurend het spoor volgen, rijden ze steeds dieper het bos in.

'Krijg nou wat!' Daan staat boven op zijn rem. 'Is dat niet Krentjes fiets?'

Mark wijst op de sticker op het spatbord. 'Ze hebben hem dus toch te pakken gekregen.' Hij kijkt de anderen bezorgd aan. 'Dat ziet er niet best voor hem uit, jongens!'

'Opschieten,' sist Daan, 'zo meteen is het donker.' Hij bestudeert een paadje dat in het struikgewas verdwijnt. Er staan duidelijk sporen van fietsbanden in het gras. Ze duwen de struiken opzij, maar op dat moment horen ze stemmen.

'Wegwezen!' Ze schieten de weg over en duwen hun fietsen de bosjes in. Ademloos luisteren ze naar het gelach dat steeds dichterbij komt. Zou dat de club van Harde Henkie zijn?

Nu horen ze het duidelijk. 'Haha… hij scheet nou al in zijn broek. Dat wordt nog wat vannacht…' Ze herkennen de stem van Harde Henkie.

'Kan hij met de kaboutertjes praten…' lachen de anderen vals.

80

'Klootzakken!' Mark en Joost willen aanvallen, maar Daan houdt hen tegen. 'Koppen dicht! Een andere keer rekenen we wel met ze af. Het gaat nu om Krentje, begrepen?'

Mark en Joost knikken. Daan gluurt door de struiken. Pas als de club van Harde Henkie helemaal uit het gezicht is verdwenen, geeft hij een teken dat ze te voorschijn mogen komen.

'Die kant op, jongens. Snel!' Ze laten hun fietsen achter en rennen in de richting van waaruit de club van Harde Henkie is gekomen.

'Stil eens!' zegt Jasmijn opeens. Nu horen de anderen het ook.

'Help… Help!' klinkt het in de verte.

'Volgens mij komt het daar vandaan.' Daan holt dwars door het bos heen. De anderen volgen hem. Onder hun voeten

hoor je de takken kraken. Na een tijdje blijven ze staan.

'Help!' klinkt het nu dichtbij. Ze rennen in de richting van het geluid. En dan zien ze Johan, vastgebonden aan een boom. Hij is bedolven onder de confetti. Zijn gezicht zit vol schrammen en hij heeft een dikke lip.

Het touw waarmee hij aan de boom is vastgebonden, zit gemeen strak.

'Tuig!' Daan en Joost proberen het touw los te maken, maar dat gaat niet.

'Wacht maar.' Mark haalt een zakmes uit zijn zak. Heel voorzichtig snijdt hij het touw door. Nu maken de anderen Johan los.

'Bevrijd!' Ze kloppen Johan bemoedigend op zijn schouder.

Johan doet een paar stappen naar voren. Zijn benen trillen. Hij wrijft over zijn pijnlijke handen. 'Hoe wisten jullie dat ik hier zat?'

'We vertrouwden het zaakje niet,' legt Mark uit. 'We hadden om zeven uur bij het sportveld afgesproken. Vanuit de bosjes hebben we ze bespied.'

'Tof van jullie.' Johan schudt de confetti van zich af.

'Hoe kom je nou onder de confetti?' vraagt Jasmijn.

Johan kijkt naar de grond. 'Dat vonden ze in mijn zakken.'

'Die Krentje,' zegt Daan lachend. 'Daar gaat je handeltje. Er ligt minstens voor één euro, man.'

Johan haalt zijn schouders op. 'Mij een zorg! Ik ben veel te blij dat ik vrij ben. Ik zag mezelf hier al de hele nacht in het bos zitten.'

'Reken maar dat er geen kip langskomt.' Daan haalt twee briefjes van vijf uit zijn portemonnee. 'Die kreeg je nog van me, voor die munten.'

'Merci.' Johan stopt ze weg.

'En nu? Wat gaat er nu gebeuren?' vraagt Daan terwijl hij zijn fiets uit de struiken vist.

'Naar de politie natuurlijk,' zegt Mark. 'Die gast denkt zeker dat hij alles kan maken.'

Iedereen is het ermee eens, behalve Johan. 'O nee,' zegt hij beslist. 'De politie blijft erbuiten. Dat heeft Harde Henkie ook niet gedaan. Die munten zijn toch vals? Waar of niet?'

'Oké,' vindt Stef. 'Maar de eerste de beste keer dat hij weer een rotstreek uithaalt, is hij erbij. Afgesproken?'

Johan knikt. Opgelucht lopen ze in de richting van de fietsen.

'Hebben jullie nog even tijd?' vraagt Johan als ze het bos uit zijn. 'Ik wil jullie trakteren.'

De anderen kijken elkaar aan. 'Krentje en trakteren... dat zal wat zijn...' lacht Mark.

'Allemaal één kauwgumpie,' grinnikt Stef.

'Mocht je willen,' zegt Telma. 'Een kauwgumpie, maar wel samen delen...' Ze rijden lachend achter Johan aan. Maar dat hadden ze verkeerd gedacht. Johan rijdt regelrecht naar Smitje, hun favoriete snackbar.

'Hou me vast!' roept Mark terwijl hij de stoep op rijdt. 'Krentje gaat echt trakteren. Ik val flauw!'

'Als je dat maar laat.' Johan geeft hem een vriendschappelijke por in zijn zij. 'Want dan moet ik de ambulance ook nog bellen en dat kost me weer tien eurocent.' Hij stapt lachend bij Smitje naar binnen. 'Allemaal een patatje, jongens?'

Op weg

Halfzeven! Mark schiet overeind. Om kwart over zeven moeten ze in de trein zitten. Hij moet er niet aan denken dat ze hem missen. Als Jasmijn te laat komt, is alles voor niets geweest.

Hij springt uit bed en duwt zijn hoofd onder de kraan. Binnen een paar minuten kan hij weg zijn. Hij heeft gisteravond alles al klaargelegd.

Hoort hij dat nou goed of is dat zijn vader? Hij luistert aan de deur. Ja, hoor, dat stuk eigenwijs is dus toch opgestaan. En hij heeft hem nog zo gezegd dat hij vanochtend geen tijd heeft om te ontbijten. Mark heeft verteld dat hij vandaag niet naar school gaat, omdat hij samen met Jasmijn een belangrijke missie moet ondernemen. Gelukkig vroeg vader niet verder. Maar waarom hoort hij hem dan nu toch de tafel dekken? Hij zal het toch niet vergeten zijn? Met zijn blouse nog half open rent hij zijn kamer uit en steekt zijn hoofd om de keukendeur. 'Je dekt toch niet voor mij, hè? Ik moet zo weg.'

'Dat ben ik echt niet vergeten.' Vader stopt een trommeltje in Marks rugtas. 'Ik heb alleen iets te eten voor jullie gemaakt. Ik weet niet wat jullie van plan zijn, maar je maag vindt het vast prettig als hij van tijd tot tijd wordt gevuld.' Hij kijkt Mark ernstig aan. 'Ik stel geen vragen, knul, maar ik vertrouw erop dat jullie geen onverstandige dingen doen.'

Mark ziet de bezorgde blik in zijn vaders ogen.

'Je hoeft je echt niet ongerust te maken, pap. Vanavond zie je me weer. Maar het kan laat worden, dat weet je.'

'We wachten het rustig af.'

'We?'

'Rob heeft hier vannacht geslapen.' Zijn vader zegt het alsof het de gewoonste zaak van de wereld is.

Mark trekt met een strak gezicht zijn jas aan.

Zijn vader doet net of hij het niet merkt. 'Ik wens jullie veel succes,' en hij geeft Mark een schouderklopje.

'Tot vanavond,' zegt Mark stug. Hij trekt zuchtend de deur achter zich dicht. Nou is die gast nog blijven slapen ook. Hoe durft hij? Op zíjn boot nota bene. Eigenlijk moet hij woedend op hem zijn. Maar jammer genoeg lukt dat niet zo best. Die vogel is zo maf. Mark pakt zijn fiets en rijdt erop weg.

'Mark!' Buiten adem komt Jasmijn aan gescheurd.

'Dus het is gelukt?' vraagt Mark.

'Op het nippertje,' hijgt Jasmijn. 'Ik heb gezegd dat we hadden afgesproken. Dat we vanochtend een proefwerk ontleden hadden. Dat het cijfer wel drie keer meetelde en dat ik er geen snars van snapte. En dat jij zo lief was om het me voor schooltijd uit te leggen.'

'Om zeven uur…' grinnikt Mark. 'Dat hij daarin trapt.'

'Hij trapte er niet in.' En terwijl ze in de richting van het station fietsen, vertelt Jasmijn verder. 'Hij zei vanochtend dat ik jou maar moest opbellen dat het niet doorging.'

'En toen?'

'Toen vertelde ik dat jullie telefoon kapot was.'

'En?'

'Wat denk je? Hij ging het controleren. Ik dacht dat ik dood bleef toen hij de hoorn in zijn hand nam.'

'Ik zou de stekker er toch uithalen?' herinnert Mark haar.

'Weet ik wel, maar het kon toch zijn dat je het was vergeten?'

'Niet dus,' zegt Mark trots.

'Toen hij geen verbinding kreeg, liet hij me gelukkig gaan. Maar alleen omdat mijn moeder het vervelend vond dat jij anders voor niks zat te wachten.'

'Ben je zenuwachtig?' vraagt Mark.

'Wat heet!! Ik heb de halve nacht wakker gelegen. En als ik even in slaap dommelde, droomde ik dat ik alles verknalde. Ik kon niks bewegen. Mijn spieren waren helemaal slap. Telkens schrok ik wakker. Op het laatst dacht ik echt dat mijn benen lam waren. Toen heb ik midden in de nacht op mijn bed een salto gemaakt.'

Mark rijdt zijn fiets het stationsplein op. 'Als jij het niet haalt, wie dan wel?' zegt hij opbeurend tegen Jasmijn.

'Ik hoop het.' Jasmijn zet haar fiets op slot. Daarna geeft ze haar portemonnee aan Mark. 'Haal jij de kaartjes?'

Mark loopt naar het loket. 'Twee enkele reizen Arnhem.' De lokettiste kijkt naar Jasmijn. 'Hoe oud zijn jullie?'

'Twaalf,' zegt Mark.

'Dat is dan tien euro.'

'Kunt u ook zeggen vanaf welk perron de trein vertrekt?' vraagt Mark, terwijl hij het geld uittelt.

De vrouw werpt een blik op de computer. 'De sneltrein kan elk moment binnenkomen op perron vier.'

'Vlug!' Mark sleurt Jasmijn mee.

In de verte zien ze de trein al aankomen.

'Heb jij vanochtend wat gegeten?' vraagt Mark als ze in de coupé zitten.

Jasmijn schudt haar hoofd. 'Ik eet 's morgens nooit. Dat droge brood, bah! En vanochtend kreeg ik helemaal geen hap door mijn keel.'

'Toch moet je wat eten. Anders ben je veel te slap om een super flikflak te maken.' Mark haalt het trommeltje te voorschijn. 'Hmmm… pannenkoeken!'

'Heeft je vader die vanmorgen gebakken?' vraagt Jasmijn verrast.

'Nee,' lacht Mark, 'zo gek is hij nou ook weer niet. Die hadden we nog over van gisteravond.'

'Ik ben dol op koude pannenkoeken.' Jasmijn likt haar lippen af.

'Wat wil je, stroop of spek?' Mark houdt haar het trommeltje voor.

'Spek,' zegt Jasmijn. 'Goed voor mijn spieren.' Ze zoekt een spekpannenkoek uit en deelt hem doormidden. 'Anders heb jij niks.'

'Niet zo bescheiden.' Mark telt de pannenkoeken. 'Er zitten er zes in. Die krijgen we nooit op.'

'O nee? Ik spreek jou nog wel als we vannacht verkleumd langs de weg staan.'

'Maar dan wel met het toelatingspapier in je zak,' zegt Mark optimistisch. En dan rijdt de trein weg.

De test

Mark ijsbeert onrustig voor het sportinternaat heen en weer. Het is al twaalf uur. Zijn vingers zijn lam van het duimen. Jasmijn is al minstens twee uur binnen. De test zal nu toch wel eens afgelopen zijn? Mark maakt zich zorgen, omdat het zo lang duurt, maar hij durft niet naar binnen te gaan. Als ze hem zien, krijgen ze misschien argwaan. Bovendien heeft hij Jasmijn beloofd buiten op haar te wachten. En hij kan haar niet zijn misgelopen. Hij is alleen even weg geweest om bloemetjes te plukken.

Opeens schrikt hij op: de deur van het internaat gaat open. Er komt een jongen naar buiten met zijn vader. Hij huilt. Die heeft het vast niet gehaald. Als Jasmijn het maar niet heeft verprutst. Ze was hartstikke zenuwachtig. Onafgebroken kijkt hij naar de deur. Eindelijk komt er een stroom jongens en meisjes naar buiten. Mark gaat op zijn tenen staan om te zien of hij Jasmijn kan ontdekken. Midden tussen de horde kinderen ziet hij iemand zwaaien met een wit papier.

'Mark, ik heb het... ik heb het gehaald!' hoort hij boven het lawaai uit.

Jasmijn wurmt zich los uit de menigte en vliegt hem om zijn hals.

'Gefeliciteerd!' Mark tovert de bloemetjes van achter zijn rug vandaan.

'Ah, wat lief van je…!' Jasmijn duwt trots het papier onder zijn neus.

Mark leest hardop wat er staat: 'Uw dochter Jasmijn de Wit heeft de toelatingstest met goed gevolg afgelegd. Ze is toegelaten op ons sportinternaat Dalenberg.'

Mark gooit zijn rugtas omhoog. 'Zie je wel dat ik gelijk had? Je bent een knoert! Vroegen ze nog wat?'

'Niks. Ik verzon dat ik bij mijn opa in Arnhem logeerde. Dat die mij gebracht had en dat hij mij na afloop weer zou komen halen. En dat…' Jasmijn stokt. Haar ogen dwalen naar de andere geslaagde jongens en meisjes die feestelijk door hun ouders worden onthaald. Sommigen lopen trots tussen hun vader en moeder in naar huis. Opeens voelt ze zich erg eenzaam. Haar ouders weten niet eens dat ze de test heeft gehaald.

En als ze het wel zouden weten, zouden ze alleen maar kwaad zijn…

Mark ziet de verdrietige blik in haar ogen. 'We halen je vader heus wel over,' beurt hij haar op. 'Voor mijn part schakelen we de koningin in. En als dat niet helpt, zal ik je vader persoonlijk gijzelen.'

Nu schiet Jasmijn in de lach. Ze ziet het al voor zich. Haar vader, vastgebonden in een of andere afgelegen caravan. Dacht Mark soms dat die zich liet dwingen? Vergeet het maar. Niks voor pa De Wit. Hij vermoordt haar nog liever. Als hij dat nu al niet doet. Ze kijkt zenuwachtig op haar horloge. 'Als we geluk hebben, zijn we voor vieren thuis. Dan merken mijn ouders niks.'

90

'De grote weg is vlakbij. Zie je daar dat viaduct? Daarachter ligt-ie.'

'Hoe weet je dat zo goed?'

'Aan een voorbijganger gevraagd.'

Jasmijn slaat een arm om hem heen. 'Machtig van je dat je bent meegegaan. Als ik helemaal alleen had gemoeten, was het vast niet gelukt.'

'Was het moeilijk?' vraagt Mark.

'Viel wel mee.' Jasmijn steekt een bloemetje in haar knoopsgat. 'Bij Appie heb ik veel ingewikkelder dingen gedaan. En de leraren waren heel aardig. Ik heb ook al een paar meisjes leren kennen. Eén heet Noortje. Die woont in Alkmaar.'

Mark blijft midden op de stoep staan. 'Je hebt haar toch niks verteld, hè?'

'Dacht je dat ik gek ben?' zegt Jasmijn.

'Gelukkig,' zucht Mark. 'Met jou weet je het nooit.' Hij wijst in de verte. 'Daar begint de grote weg al.' Ze lopen een stukje door en steken dan hun duim op. De auto's razen voorbij.

'Moet je die zien!' roept Mark verontwaardigd. 'Dat mens zit in haar eentje in die grote slee. Die had ons toch makkelijk mee kunnen nemen?'

Als er na een half uur nog niemand is gestopt, krijgt Jasmijn een idee. 'Als jij je nou in de bosjes verbergt, dan blijf ik hier staan. Voor een meisje alleen stoppen ze veel vlugger.'

'Uitgekookt,' lacht Mark. 'Nou, welterusten dan maar.' Hij gaat demonstratief in de bosjes liggen.

Jasmijn kijkt bezorgd naar de lucht die steeds donkerder wordt. Het ziet ernaar uit dat er elk moment een bui kan losbarsten. In de verte ziet ze zelfs een lichtflits.

'Nee, hè, het gaat toch niet onweren,' mompelt ze. Terwijl ze haar vriendelijkste gezicht opzet, steekt ze haar duim omhoog.

Dat werkt. Een man in een grote Mercedes mindert vaart en houdt stil. Zonder te vragen waar ze naartoe moet, houdt hij de deur open. 'Stap maar in.' Als hij Mark uit de bosjes ziet komen, geeft hij gas en rijdt weg. Jasmijn staart hem verbluft na. Maar Mark rent een stukje achter de auto aan. 'Viezerik!' schreeuwt hij kwaad en balt zijn vuisten. Maar dan schrikt hij van een lichtflits. Kort daarop volgt een donderslag en tegelijkertijd begint het hard te regenen. Jasmijn en Mark duiken weg in hun jack. Weer een lichtflits. Markt telt zachtjes. 'Een… twee… drie… vier.' Opnieuw een keiharde klap. Hij kijkt angstig Jasmijns kant uit. 'Het zit vlak boven ons.' In zijn hoofd gonzen zijn vaders bezorgde woorden. 'Ik vertrouw

erop dat je geen onverstandige dingen doet...' Is het niet gevaarlijk om hier te blijven staan in dit weer, zo vlak bij de bomen? 'Kunnen we niet beter ergens schuilen?' stelt hij voor.
Jasmijn knikt. Zelf vindt ze het ook een beetje eng.
Net als ze willen weglopen, stopt er een auto. Een vrouw draait het raampje open. 'Stap vlug in, kinderen. Dit is toch geen weer om te liften? Waar moeten jullie heen?' vraagt ze als Mark en Jasmijn op de achterbank zitten. Het water druipt van hun gezicht.
'Naar Zwolle,' zegt Mark.
'Ik ga niet verder dan Epe. Dat ligt nog een flink eind onder Zwolle. Denken jullie dat je daar iets aan hebt?'
'Altijd,' zegt Mark gauw. Hij vindt alles beter dan in dit noodweer langs de weg te moeten staan.
Het is behaaglijk in de auto. Het geluid uit de cassetterecorder overstemt de regen die op het dak van de auto klettert.
'Moeten jullie niet naar school?'
Jasmijn weet niet zo vlug wat ze moet zeggen. Ze kijkt Mark aan.
'We hebben vrij gekregen,' verzint Mark. 'We moesten naar Dalenberg voor een toelatingstest.'
'Zo,' zegt de vrouw. 'Alletwee nog wel.'
Mark knikt. 'Onze ouders hadden het te druk om mee te gaan. Daarom zijn we met zijn tweetjes, ziet u.'
'Hadden ze jullie dan geen geld voor de trein meegegeven?'
'Ja, eh...'
'Daar hebben we patat voor gekocht,' bedenkt Jasmijn.
'En zijn jullie geslaagd?'
'Ja,' antwoordt Jasmijn trots.
'Gefeliciteerd. Jullie ouders zullen wel benieuwd zijn.'

'Ze weten het al,' zegt Jasmijn. 'We hebben ze natuurlijk meteen opgebeld.'

De vrouw veegt de condens van de voorruit. 'Dat wordt dus groot feest als jullie thuiskomen.'

'Vast,' antwoordt Jasmijn. 'Een heel groot feest.' Ze moet ervan slikken. Terwijl ze in gedachten naar buiten staart, valt haar oog op een verkeersbord: NUNSPEET 15. Ze stoot Mark aan. 'We zijn vlak bij mijn opa. Kijk maar, daar staat het: Nunspeet vijftien kilometer.'

De vrouw neemt gas terug. 'Als jullie willen, rij ik er wel even naartoe.'

'Geen gek idee,' vindt Mark. 'Vertellen we meteen dat jij eh… dat wij geslaagd zijn.'

'Doen?' En als Jasmijn ja zegt, slaat de vrouw rechtsaf.

Eenmaal in het stadje, weet Jasmijn de weg. Ze leidt de vrouw feilloos naar Zonnegloren, en even later worden ze voor de deur afgezet.

'Nou, succes,' zegt de vrouw als ze uitstappen. 'En misschien zie ik jullie nog wel eens op de televisie.'

'Ik hoop het.' Jasmijn slaat het portier dicht. Als ze de vrouw hebben uitgezwaaid, stappen ze de hal van het bejaardenhuis binnen. Gelukkig zijn ze al een beetje opgedroogd in de auto, zodat ze niet kleddernat bij opa aankomen. Ze lopen de lange gang door. Jasmijn drukt op de bel van nummer negen. En even later kijken ze in het verraste gezicht van opa.

'Wat zien jullie eruit! Kom gauw binnen, kinderen.'

'We zijn komen liften,' legt Mark uit.

'In dit noodweer? Geef die natte spullen maar hier. Die hang ik wel even op de verwarming. Dan drogen ze zo.' Opa duwt

94

Mark en Jasmijn de kamer in. 'Ga lekker op de bank zitten, jongens. Ik kom zo.' En hij verdwijnt de keuken in.

Ze horen gerammel van potten en pannen. En dan komt opa binnen met een dienblad waarop twee dampende koppen soep staan. Opa gaat in zijn gemakkelijke stoel zitten. 'Zo,' zegt hij terwijl hij een sigaartje opsteekt. 'Vertel me nou maar eens wat jullie hierheen voert.'

Jasmijn begint meteen te ratelen. Over de test en dat ze niet genoeg geld hadden voor een retourtje.

'Dus als ik het goed begrijp, weten jullie ouders van niks,' zegt opa.

'Nee,' zegt Jasmijn dwars. 'En het gaat ze niks aan ook. Als u ons wat geld wilt lenen, zijn we nog vóór het avondeten thuis. Dan hebben ze er niks van gemerkt dat we vandaag hebben gespijbeld.'

Opa legt een hand op Jasmijns schouder. 'Dacht je dat nou echt? Geloven jullie nou werkelijk dat meester Karel niet naar jullie heeft geïnformeerd? Het is die man zijn plicht om jullie ouders in kennis te stellen. Wat zullen ze ongerust zijn. Ik bel ze onmiddellijk op.'

'Nee, alstublieft niet, opa,' smeekt Jasmijn. 'Dan is alles verpest.'

'Laat dat nou maar aan mij over,' stelt opa haar gerust. 'Of dacht je soms dat ik geen beroemde kleindochter wilde?'

Hij loopt naar de gang. Door de kamerdeur horen ze hem praten. 'Ja, je spreekt met je vader... Daar bel ik juist voor. Die kinderen zitten hier... Kom nou maar eerst hierheen... Tot zo.'

Opa komt de kamer binnen. 'Ziezo. Wat ik al zei, je ouders waren in alle staten. Vanochtend om tien uur werden ze al opgebeld door het hoofd van de school. Jouw vader konden ze niet bereiken.'

'Nee,' zegt Mark. 'Die zit de hele dag op zijn atelier. Daar heeft Kareltje gelukkig geen nummer van.'

'Komen ze hierheen?' vraagt Jasmijn half huilend.

Opa streelt door haar haar. 'Maak je nou maar niet zenuwachtig. Het moet ons met zijn drietjes toch lukken om je vader over te halen? Als jij je maar rustig houdt. Nog wat,' gaat hij verder. 'Heb ik het goed begrepen? Is het helemaal rond met dat sportinternaat?'

Jasmijn haalt het papier uit haar zak.

'Mooi zo, als jullie me dan even willen excuseren. Ik ga even iets knaps aantrekken. Ik moet toch zeker indruk maken op mijn zoon?' Opa geeft hun een knipoog en verdwijnt de slaapkamer in.

Het gesprek

Het is bijna drie uur, de ouders van Jasmijn kunnen elk moment komen. De spanning in de kleine bejaardenwoning is om te snijden. Opa is in de keuken aan het rommelen. Om de haverklap horen ze iets kletteren. Markt heeft een boek over schepen uit de kast gehaald, maar hij leest geen letter. En Jasmijn heeft intussen al haar nagels afgebeten.

Dan gaat de bel. Jasmijn schuift dichter naar Mark toe.

'Je helpt me toch wel?'

'Wat dacht je?' Mark knijpt in haar hand.

In de gang klinken opgewonden stemmen. De deur van de huiskamer wordt met een ruk opengetrokken.

'Jasmijn, waar zat je? We waren zo ongerust...' Jasmijns moeder valt haar om de hals.

Maar meneer De Wit blijft in de deuropening staan. 'Wat is dit voor vertoning?' buldert hij.

'Ga nou even zitten.' Opa duwt zijn zoon in een stoel. 'Ik snap best dat je ongerust was, jongen. Dat waren wij vroeger ook.'

'Wat heeft vroeger hier nou mee te maken?' vliegt meneer De Wit op.

Opa plukt aan zijn snor. 'Neem me niet kwalijk. Vanmiddag moest ik er weer aan denken hoe oma en ik vroeger over jou

97

in de piepzak zaten, jongen. Weet je nog dat je midden in de nacht de benen had genomen, omdat je niet van school mocht?'

Meneer De Wit zucht geërgerd. Je kunt aan zijn gezicht zien dat hij liever niet heeft dat opa daarover begint.

'Hij wilde in een band spelen,' zegt opa tegen Jasmijn en Mark.

'Heb jij in een band gespeeld, pap?' vraagt Jasmijn verbaasd. 'Daar heb je nooit iets over verteld.'

'Een blauwe maandag maar.' Jasmijns vader wil er duidelijk niet over praten.

Maar Jasmijn laat zich niet van de wijs brengen. 'Papa mocht dus toch van school,' zegt Jasmijn.

Opa krabt op zijn hoofd. 'Dat had hij echt aan oma te danken. Je oma wist me over te halen. "Cor," zei ze, "geef die jongen een kans. Anders verwijt hij het je tot je tachtigste." Wil je geloven dat ik haar daar nog altijd dankbaar voor ben? Anders was er misschien voorgoed iets tussen je vader en mij kapotgegaan. Met alle gevolgen vandien. Dan was Kees waarschijnlijk stiekem toch in die band gestapt. Zoals, eh... zoals nu met Jasmijn is gebeurd.'

'Hoe bedoelt u dat?' vraagt Jasmijns moeder.

Opa neemt een trek van zijn sigaar. 'Dat kind is nou eenmaal blind van dat turnen. En ze kan het nog goed ook. Ze moet en zal naar dat internaat. Wat dat betreft lijkt ze als twee druppels water op haar vader. Als jullie iets in je kop hebben, heb je het niet in je kont. Dat zou wat makkelijk zijn, dan kon je het uitpoepen.'

'Pa!' Jasmijns vader wordt rood.

'Zo is het toch?' gaat opa verder. 'Jasmijn moest en zou die

toelatingstest doen. Nou, dat is dan nu gebeurd.'
'Wáááát…?! Heb jij vanmorgen die test gedaan?' Meneer De
Wit kijkt Jasmijn fel aan.

Jasmijn knikt dapper. Ze bijt op haar lip om haar tranen tegen
te houden. Ze zou zoveel willen zeggen, maar het gaat niet. Er
zit een prop in haar keel. En dan begint ze opeens te huilen.
'Het was heus niet leuk, hoor… Iedereen was met zijn ouders… En alle vaders en moeders waren trots toen ze hoor-
den dat hun kind geslaagd was… Behalve jullie… Jullie…
jullie houden niet van mij…!'
'Jasmijn!' Haar moeder trekt Jasmijn naar zich toe. 'Hoe kun
je dat nou zeggen? We houden juist heel veel van je. Papa is alleen maar bezorgd voor je toekomst. Hij is bang dat het een
grote teleurstelling wordt.'

'En die band dan?'

'Dat is het nou juist,' legt haar moeder uit. 'Na een half jaar had je vader er genoeg van en wilde hij weer terug naar school. Maar hij was al te veel achteropgeraakt. Dat avontuur heeft hem een jaar gekost.'

'Maar hij heeft wel zélf beslist dat het niks voor hem was,' snikt Jasmijn. 'En jullie bepalen alles voor mij... Hoe kan ik er dan ooit achter komen of het echt iets voor me is?' Een tijdje blijft het stil. Meneer De Wit staart de tuin in.

'Misschien heeft Jasmijn wel gelijk,' zegt Jasmijns moeder. 'Misschien moeten we haar een kans geven, Kees.'

Gespannen kijken ze naar meneer De Wit.

'Oké, ik geef me over,' zucht hij.

'Papa...!' Jasmijn vliegt haar vader om zijn nek. 'Je bent een schat...!' Ze geeft hem wel tien zoenen op elke wang.

'Ja, ja, zo is het wel goed,' zegt Jasmijns vader.

Maar opa geeft Mark een knipoog. Ze zien heus wel aan het gezicht van Jasmijns vader dat hij blij is dat de ruzie met zijn dochter over is.

Het hoge woord

Mark loopt fluitend de loopplank op.

De deur is niet op slot. Dat betekent dat zijn vader thuis is. Gezellig. Hij kan bijna niet wachten zijn avontuur te vertellen.

Als hij de stuurhut in stapt, ruikt hij de geur van gebakken uien. Hmmm… Hij steekt zijn hoofd om de keukendeur. Tot zijn verbazing ziet hij in plaats van zijn vader Rob staan achter het fornuis.

'En is jullie geheime missie geslaagd?' vraagt Rob.

'Dat kun je wel zeggen, ja.' Mark duikt in de koelkast en schenkt zichzelf een glas cola in. Eigenlijk kan hij het Rob ook wel vertellen. 'We waren vlak bij Arnhem.'

'Daar helemaal?'

'Jasmijn moest een toelatingstest doen voor Dalenberg, maar dat moest geheim blijven. Van haar vader mocht ze niet naar dat sportinternaat.'

'Waarom niet?' Rob draait het gas uit. 'Ik zou apetrots zijn als mijn jongens zoveel talent hadden.'

'Jasmijns vader niet. Die had heel andere plannen met Jasmijn. Hij wilde per se dat ze later zou gaan studeren.'

'Is ze wel geslaagd?' vraagt Rob.

Mark knikt. 'Na de test zijn we naar haar opa gelift. Die heeft haar pa gelukkig omgeturnd.'

'Wat een geluk voor die meid.' Rob neemt een slok van zijn wijn. 'Trouwens voor iedereen daar thuis. Het zal daar wel een gezellige boel zijn geweest.'

'Hou op,' zucht Mark. 'Elke dag hadden ze ruzie. Klaar ben je met zo'n vader. Wat een zak.'

'Die zak heeft zijn eigen ideeën toch maar mooi opzijgezet,' zegt Rob. 'Hij had waarschijnlijk iets heel anders voor zijn dochter in zijn hoofd. Dat ze dokter zou worden, of tandarts of minister. Weet jij veel? Wie weet heeft hij dat wel overal altijd rondverteld. Dan zal hij nu toch moeten vertellen dat het anders wordt. Dat vind ik moedig van die man. Er zijn heel wat ouders die hun eigen wil doordrammen. Alleen maar omdat ze zich voor hun dochter schamen. Dat is dan belangrijker dan het geluk van hun kind. Ja toch?' Rob kijkt Mark aan.

Maar die geeft geen antwoord. De woorden van Rob werken als een ontstopper. Zijn hoofd voelt als een gootsteen die weken vol water heeft gestaan en eindelijk doorloopt. Zijn hersens borrelen...

'Daar is iemand voor je!' Rob wijst naar buiten.

'Jasmijn!'

'Vergeten te geven!' roept Jasmijn door het raam. Ze houdt twee briefjes van vijf omhoog. 'Van mijn vader moest ik ze nog even naar je toe brengen.'

Mark holt naar buiten en pakt het geld aan.

'Nou, eh... ik ga weer,' zegt Jasmijn. 'We moeten zo eten.'

'Jasmijn!' Mark houdt haar arm vast. 'Ik, eh... ik moet je iets vertellen.' Hij haalt eens diep adem en dan komt het hoge woord eruit: 'Mijn vader heeft een vriend.'

'O, dat wist ik al lang,' flapt Jasmijn eruit.

Mark kijkt haar verbaasd aan. 'Hoe kan dat nou?'

Jasmijn bloost. 'Toen, eh... weet je nog dat jij die avond zo vreemd deed bij je vaders atelier? Nou, eh... toen ben ik nog even teruggegaan. Ik moest weten wat er aan de hand was. Jij deed zó maf. Ik dacht minstens dat je vader daar iemand aan het vermoorden was. Toen ik de straat in liep, kwamen ze net naar buiten. Je vader zwaaide die vriend uit.'

'Zag hij jou?' vraagt Mark.

'Welnee,' lacht Jasmijn. 'Je vader zag helemaal niks, man. Smoorverliefd keek hij die vent na.'

'Vind jij het dan niet raar?'

'Wat is daar nou raar aan?' reageert Jasmijn nuchter. 'Je vader moet toch zelf weten op wie hij verliefd is? Wat heb ik daar nou mee te maken? Iedereen moet zelf weten op wie hij verliefd is.'

'Meen je dat?'

'Nou ja, niet iedereen natuurlijk.' Jasmijn pakt verlegen Marks hand. 'Iedereen, behalve jij. Jij mag alleen op mij verliefd zijn.' En dan geeft ze hem zomaar een zoen.

Over Carry Slee

Carry Slee is een kinderboekenschrijfster die zeer geliefd is. Zij werd negen keer door de Nederlandse Kinderjury bekroond en vier keer door de Jonge Jury.

Carry Slee werd in 1949 geboren in Amsterdam. Al op jonge leeftijd was ze veel met verhalen en boeken bezig. Toen ze nog niet kon schrijven, bedacht ze verhaaltjes voor haar knuffeldieren. Ze zette haar knuffels in een kring om zich heen en las voor uit eigen werk. Op de lagere school had ze een schrift waarin ze korte verhalen en gedichten noteerde.

Na de middelbare school ging ze naar de Academie voor Woord en Gebaar in Utrecht. In 1975 slaagde ze voor deze opleiding. Ze werd dramadocent in het middelbaar onderwijs. Haar schrijverskwaliteiten kwamen toen goed van pas, want samen met haar leerlingen bedacht ze verhaallijnen waar ze vervolgens compleet uitgewerkte toneelstukken van maakte. De toneelstukken werden, vaak met groot succes, opgevoerd door de leerlingen.

Carry Slee heeft twee dochters, Nadja (1979) en Masja (1981), die haar grootste inspiratiebron vormen. Toen haar dochters nog jong waren, bedacht Carry verhalen voor hen waarin 'Keetje Karnemelk' de hoofdrol speelde. Nadja en Masja vonden de verhalen zo leuk dat Carry Slee besloot ze naar het tijdschrift *Bobo* te sturen. Daarin werden ze gepubliceerd. Gestimuleerd door het succes van 'Keetje Karnemelk' stortte Carry Slee zich op een boek over de belevenissen van de tweeling Rik en Roosje. Ze bood het manuscript aan bij uitgeverij Van Holkema & Warendorf, waar het in 1989 in

boekvorm verscheen. Hiermee begon een succesvolle carriè-
re. Inmiddels is Carry Slee fulltime auteur en verschenen er
meer dan vijftig boeken van haar hand.

Carry Slee schrijft voor kinderen van alle leeftijden. Soms zijn
haar boeken gebaseerd op dingen die echt gebeurd zijn; in
andere gevallen zijn de verhalen verzonnen. Carry Slee
schrijft klare taal, die kinderen aanspreekt. De situaties die ze
beschrijft, zijn heel herkenbaar en de personages zijn zo goed
uitgewerkt dat de lezer zich makkelijk kan identificeren. Haar
boeken zijn altijd spannend en zo geschreven dat je ze in één
keer uit wilt lezen.
Behalve onder haar eigen naam schrijft Carry Slee boeken
met een meer poëtisch karakter onder het pseudoniem Sofie
Mileau. Elke keer dat je de boeken leest, valt er iets nieuws in
te ontdekken.
In haar boeken schuwt Carry Slee moeilijke onderwerpen als
homoseksualiteit, pesten en scheiden niet. Door haar humo-
ristische en luchtige stijl worden haar boeken echter nooit te
zwaar. Ze schrijft eerlijk over het feit dat ouders twijfelen en
niet altijd op iedere vraag een antwoord weten. Zo probeert
zij kinderen aan te sporen om problemen op een creatieve en
fantasierijke manier het hoofd te bieden.

Alle boeken van Carry Slee

4+
Lekker weertje koekepeertje (omnibus)
Met zonder jas (lente)
Zandtaartjes (zomer)
Rood met witte stippen (herfst)
Sneeuwman, pak me dan (winter)
Ei, ei, ei, we zijn zo blij (speciale uitgave)
Feestkriebels
Hallo baby
Hieperdepiep
Morgen mag ik in het diep
We zijn er bijna
Smikkelspekjes en lachebekjes (omnibus)

De Kwispelstaartjes, voor iedereen van 4+ die van dieren houdt
Piep, zei de muis
Een krokodil in de heg
De konijnenkeuteldropfabriek
De knorreborreboerderij
Giechelvisjes

De kinderen van De Grote Beer
De kleuters van De Grote Beer (1+2)
Een kringetje van tralala (groep 1)
Wiebelbiebeltanden (groep 2)
Opgepast, ik lust een hele boekenkast (groep 3)
Rekenen in het oerwoud (groep 4)

Help! Juf is verliefd (groep 5)
Klapzoenen en valsspelers (groep 6)
Schreeuwende slaapzakken en stiekeme stropers (groep 7)
Een broodje gras en linke soep (groep 8)

7-10 *serie*
Het drakepad
Kaatje Knal en de biefstukbende
De smoezenkampioen
Ridder Schijtebroek
Meester Paardenpoep
Markies kattenpies
Hokus, pokus... plas!

8+
Hebbes
Vals (februari 2003)

9+
Confetti conflict
Geklutste geheimen met strafwerk toe
Kilometers cola en knetterende ruzie
Verdriet met mayonaise
Link (bundeling Bliksemeiland en Vervalst)

12+
Spijt!
Pijnstillers
Afblijven!
Kappen!

Razend
Paniek

Voor volwassenen
Moederkruid
Dochter van Eva

Bijzondere boeken:
De zonnetjesbroek
Rik en Roosje
Haas en Kip (pseudoniem Sofie Mileau)
Anne (pseudoniem Sofie Mileau)
De verborgen prins (pseudoniem Sofie Mileau)